HÉLÈNE CIXOUS
PHOTOS DE RACINES

HÉLÈNE CIXOUS
PHOTOS DE RACINES

par
MIREILLE CALLE-GRUBER
et
HÉLÈNE CIXOUS

ISBN : 2-7210-0454-9

Ce travail a été réalisé grâce au soutien
du Centre de Recherche en Sciences Humaines (CRSH)
du Canada.
Assistance technique : Lara J. Fitzgerald

Pour Marguerite Sandré
qui depuis vingt années
travaille à garder en vie
les séminaires d'Hélène Cixous

ON EST DÉJÀ
DANS LA GUEULE DU LIVRE

ENTRE *TIENS*

Les fenêtres dans le texte donnent
sur les Cahiers d'Hélène Cixous

....

.... on ne peut pas en parler sans ....

....-

.... attitudes, positions, dispositions du corps-(et)-de-l'âme ou même dispositifs .....

....

Mireille Calle-Gruber — On ne peut pas parler de ton travail si on fait, d'entrée, l'impasse sur la trentaine de livres de fiction que tu as écrits. Le plus vrai, pour toi, c'est l'écriture poétique.

Hélène Cixous — Le plus vrai est poétique. Le plus vrai c'est la vie nue. Ce voir, je ne puis l'atteindre qu'à l'aide de l'écriture poétique. « Voir » le monde nu, c'est-à-dire presque é-nu-mérer le monde, je m'y applique avec l'œil nu, obstiné, sans défense, de ma myopie. Et tout en regardant de très très près, je copie. Le monde écrit nu est poétique.

Comment voir ce que nous ne voyons plus : imaginons des « trucs » : la chambre de ma grand-mère que je regardais par le trou de la serrure ; à cause de cette focalisation, je n'avais jamais vu une chambre tellement chambre. La ville d'Alger que je regardais dans les vitres de l'autobus. La personne aimée qu'une aura fait apparaître. Microscopes, télescopes, myopies, loupes. Tous ces appareils en nous : attention.

Ce qui se passe : événements intérieurs, les prendre au berceau, à la source.

Je veux regarder regarder arriver. Je veux regarder les arrivances. Je veux trouver la racine d'avoir besoin de manger. Et la goûter : travail de sueur sommeil.

Pour penser, je fronce les sourcils, je ferme les yeux et je regarde.

Le plus vrai est poétique parce qu'il n'est pas arrêté-arrêtable. Tout ce qui est arrêté, saisi, tout ce qui est soumis, facilement transmissible, captable, tout ce qui relève du mot concept, c'est-à-dire tout ce qui est pris, mis en cage, est *moins* vrai. A perdu ce qui est la vie-même, qui est toujours en train de bouillonner, d'émettre, de s'émettre. Chaque objet est en vérité un petit volcan virtuel. Il y a une continuité dans le vivant ; alors que la théorie entraîne une discontinuité, une coupure, tout ce qui est le contraire de la vie. Je ne suis pas en train de jeter l'anathème sur toute théorie. Elle est indispensable, parfois, pour faire un progrès, mais seule, elle est fausse. Je m'y résouds comme à un secours dangereux. C'est une prothèse. Tout ce qui est avance est aérien, détaché, irrattrapable. Je suis donc inquiète quand je vois certaines tendances de lectures : elles prennent la roue de secours pour l'oiseau.

M.C-G. — Par « théorie » tu te réfères ici, en particulier, à une situation nord-américaine dont les échos reviennent à présent en Europe et qui, sous le nom de « théorie féministe », s'est limitée, excluant tes livres de fiction, à quelques essais ou articles : *Le rire de la méduse*, *Sorties,* les interventions de *La jeune née*. Procéder à cette amputation est injuste envers ton travail qui est pluriel ; débordement ; qui questionne sans cesse ce qu'il dessine. Le risque, avec une écriture attentive aux subtilités, c'est que la paresse, la surdité, ou la surprise fassent qu'on n'entende qu'une voix ; qu'on s'arrête à un aspect. Que la lecture réduise et réifie parce que c'est plus facile.

Il faut se demander comment ça se fait. Qu'est-ce qui se passe — ou ne se passe pas — lorsqu'on rend si peu justice à l'œuvre. Certes, il y a méprise sur le terme de « théorie » : l'écriture que tu pratiques relève plutôt d'une forme de réflexion philosophique que tu conduis à travers la poésie. Mais le malentendu vient aussi de ce que, dans le cours même de l'œuvre de fiction, tu poursuis un effort de lucidité : au lieu même de l'aveuglement — dont tu es consciente — de l'écriture. Un travail de retour sur la phrase, de reprise, qui réfléchit et fléchit le flux de l'écrit.. Certains se méprennent ; le considèrent comme un traitement théorique alors que c'est un traitement poétique : sans arrêt de la pratique fictionnelle. C'est dans la même pâte langagière, de la même plume, que poésie et réflexion philosophique tressent un texte. Lequel ne se clôt pas sur la conceptualisation, même locale. En t'écoutant parler du concept qui fige, je pensais à la phrase de Derrida en quatrième de couverture de *Circonfession* : « Dès qu'il est saisi par l'écriture, le concept est cuit ». C'est évidemment bien plus qu'un simple jeu de mots. À la lettre : ton texte cherche à dire, à la vitesse de l'éclair, « le cru », le sang, les larmes, le corps qui est un « état de viande ». (Je pense à l'autoportrait en bête écorchée dans *Jours de l'an* qui fait référence à Rembrandt ; et *Déluge* : « elle reste seule avec sa viande terrible » p.93).

H.C. — Ces essais je les ai *volontairement*, à un moment très daté, tout à fait historique, plantés comme pour jalonner un champ ; qu'il ne soit pas tout à fait perdu de vue — avoir fait quelque chose de volontaire : ça dit déjà ce que c'est ! *Le rire de la méduse* et autres textes de ce genre étaient de ma part un effort conscient, pédagogique, didactique pour classer, pour ordonner certaines réflexions, pour souligner un minimum de sens. De bon sens.

M.C-G. — Tu dis « moment daté, historique » c'est-à-dire, n'est-ce pas, politique ? *La jeune née* est un texte précisément circonstancié qui fait pièce d'argumentation à un moment de la lutte.

H.C. — Ces textes m'ont été inspirés par l'urgence d'un moment du discours général portant sur la « différence sexuelle ». Lequel m'apparaissait confus et producteur de refoulements et de perte de vie et de sens. Jamais je n'aurais pensé, quand j'ai commencé à écrire, que je me trouverais un jour en train d'effectuer des gestes stratégiques, ou même militaires : construire un camp avec des lignes de défense ! C'est un geste qui m'est étranger. Je l'ai fait. À cause des agressions idéologiques toutes d'intolérance — qui ne s'adressaient pas à ma personne — tout d'un coup je me suis vue obligée de m'engager pour défendre un certain nombre de positions. Pour cela, je suis sortie de ma propre terre.

Je ne le regrette pas. « Défendre » est parfois une nécessité. Mais c'est un geste ambigu : qui se défend défend, *i.e.* interdit. Et je n'aime pas les régions où l'on fait la loi. De plus, ce geste secondaire fait écran à l'acte principal.

Ma vocation, il faut le dire, n'est pas politique, même si je suis bien consciente que toute expression est toujours indirectement politique. La question éthique du politique, ou de la responsabilité m'a toujours hantée, comme, je l'imagine, elle hante toutes les lucioles que la flamme de la bougie-art attire irrésistiblement. (Tu auras reconnu dans la bougie une image de Kafka). Je suis à la fois toujours en alerte (l'alerte a commencé quand j'avais trois ans, dans les rues d'Oran, je m'en souviens clairement), toujours tourmentée par les injustices, les violences, les meurtres réels et symboliques — et en même temps très menacée, trop menacée en vérité par les excès de la réalité. J'ai toujours su que je n'aurais pas pu être médecin (le vrai médecin, celui de la compassion) sans succomber, comme mon père, à la douleur

* Je ne suis pas, page je
1) Je suis le petit nègre
2) Je suis
— Etats de l'ombre
3) Je suis Achille mère, Achille
la vache sacrée.

humaine. C'est ainsi. Et de même, je n'aurais pas pu m'aventurer sur la scène du combat politique, laquelle cependant est décisive pour la presque totalité de la destinée nôtre. C'est pourquoi je me suis sentie un peu « sauvée » — en tout cas soulagée, et grandement épargnée — lorsque j'ai rencontré Antoinette Fouque, tard déjà, en 1975. J'avais créé les *Études Féminines* en 1974. Et je m'étais contrainte à ces gestes armés en 74-75. Là-dessus je découvre qu'il y a une femme tout à fait exceptionnelle, un génie de la pensée politique, en acte, dont la vocation est de penser le sort des femmes aujourd'hui et en avant. Une femme adonnée corps et âme à la plus exigeante des causes. Depuis je me suis toujours dit, chaque fois que je vois les monstrueuses lames de la réalité sociopolitique se dresser comme des montagnes devant moi — (c'est-à-dire presque tous les jours) — : heureusement qu'il y a Antoinette. Je sais qu'elle veille, qu'elle agit, qu'elle représente aussi une vaste part humaine, qu'elle protège. Cette présence a toujours apaisé une part de mon inquiétude politico-culturelle. On me dira que je délègue. Mais on délègue toujours. Le malheur c'est de ne pouvoir le faire. D'autres délèguent à moi le souci de veiller à ce qu'une imagination poétique ne tombe pas en poussière.

M.C-G. — Je suis toujours étonnée qu'il y ait si peu de place, dans la lutte des femmes, pour le droit à la créativité littéraire. Étonnée aussi qu'on nomme généralement ensemble Cixous-Irigaray-Kristeva ; amalgamant ainsi des ouvrages dont m'apparaissent surtout les différences. Notamment : la différence littéraire. Irigaray et Kristeva sont des théoriciennes, elles ne font pas œuvre d'écrivain. Par contre c'est l'écrivain que j'aborde en toi. Où j'aborde. Il faut donc rappeler que ton champ d'action, voire ton combat, a pour lieu l'écriture poétique, la langue, la fiction.

H.C. — Cela se produit ainsi, en particulier parce que les textes de moi qui sont mis en circulation souvent sont des textes qu'on peut, facilement, faire circuler et s'approprier. Ils étaient faits pour ça d'ailleurs. Les autres ne sont pas lus.

M.C-G. — Ce n'est pas le même seuil de lisibilité que requièrent ces autres textes. Ni le même genre de travail.

H.C. — Exactement, mais alors cette situation engendre des erreurs d'évaluation : car, avoir une station debout, analogue à celle de qui s'affirme théoricienne, ce n'est pas du tout mon propos.

M.C-G. — Est-ce que nous sommes en train de dire qu'il est plus difficile pour une femme de se faire admettre comme écrivain que comme théoricienne ?

H.C. — Il faut que je donne plusieurs réponses : il est plus facile de se faire admettre comme théoricienne c'est-à-dire comme moins femme. Ensuite, on ne peut pas généraliser ton énoncé sans précaution parce que après : en tant que femme, se faire admettre comme écrivain... eh bien... cela dépend beaucoup des femmes...

M.C-G. — ... cela dépend de l'écrivain...

H.C. — Bien sûr, cela dépend de ce qu'elle donne à lire. De toute façon, c'est déterminé par le degré d'appropriabilité. Si tu donnes un texte qu'on peut s'approprier, tu es recevable. Quand le texte court loin devant le lecteur comme devant l'auteur, ou quand le texte court, tout simplement, et demande au lecteur de courir, et que le lecteur a envie de rester assis, alors le texte est moins reçu.

M.C-G. — Tout ne vient pas du fait d'être écrivain femme ou homme mais de ce que la lecture est le plus souvent considérée en termes d'appropriation.

H.C. — Malheureusement. Alors que la lecture qui rend heureux c'est au contraire la lecture qui transporte, avec laquelle on s'en va en voyage, on ne sait pas où. Cependant, dans mes textes théoriques, j'utilise une « forme » d'écriture ; mais de temps à autre, je résume. Voilà ce qui se passe dans les textes théoriques : il y a des moments où on s'assied. Et ce sont ces moments où l'on peut s'asseoir, où on peut prendre, les moments d'arrêts, qui rendent ces textes plus visibles que les autres, ceux qui filent sans arrêt.

M.C-G. — C'est dérangeant, une écriture qui refuse une position assignable. Qui choisit l'intervalle, l'entre, l'entredeux, et qui travaille au lieu de l'altérité. Du rapport — ou du non-rapport. Nous sommes là à un point vif : à savoir, la mise en scène de l'altérité et de l'altération qui constitue, pour moi, un des aspects essentiels de ton univers fictionnel. Tout un procès par quoi tu déchires des conventions d'écriture ; tu déchires des images littéraires convenues, des façons-de-voir-et-de-dire. Tu déchires ton lecteur, ta lectrice, qui se trouve écartelé(e) entre des idées reçues, des sentiments reçus que chaque mot dépèce.

Je me suis interrogée sur ce qui faisait mon intérêt de lectrice. Quand je t'ai rencontrée dans les textes, tu étais en route depuis longtemps, et cette route était pleine de livres déjà, de points de vue, de rencontres qui, souvent, n'étaient pas de ma bibliothèque. Je venais d'ailleurs. Pourtant, lorsque je t'ai lue, ça n'a pas marqué un départ, un commencement, c'était un peu comme si tu me donnais un fil connu-inconnu, continu-discontinu. Il y avait comme une familiarité. Tu me donnais un moyen de reconnaissance, peut-être. Et je me dis que c'est cela qui fait que c'est *mon* affaire aussi : cette *altérité* remise sans fin en scène ; le fait que je suis sans cesse contrecarrée (dans mes habitudes) par de l'autre. Ce que tout lecteur a tendance à refouler parce qu'il est plus confortable d'être dans une illusion de mêmeté. Si bien que je (lectrice) me reconnais là où je ne me reconnais pas ; je me reconnais là où je me perds. Il se produit une sorte de mise en pièces, irrémédiable, jamais achevée, de Je-moi. C'est cela qui me retient d'abord ; c'est ce que je dirais de tes livres : ils racontent Je en proie à de l'autre. Je dans un accès d'altérité — comme on dirait un accès de fièvre. Tel est l'accent majeur — ce n'est pas une définition, rien n'est jamais définitif. C'est cela, fondamentalement, qui fait que ça *me* concerne et que ça doit concerner beaucoup de lecteurs. Et les déranger.

> Je sais bien que c'est d'être inconnue de moi, que je vis.

Altérité

H.C. — *Altérité*, oui. Mais ne sommes-nous pas *toujours* en proie à l'altérité ? La fièvre ne nous lâche qu'en apparence. À l'étage extérieur, « en haut », à l'étage du semblant, —de moi — d'ordre. En dessous, à côté, nous sommes toujours à dériver. Nous répondons de face et pensons de côté. Toujours en train de (nous) trahir, de (nous) quitter. Nous « prenons des décisions » : tout d'un coup, nous tranchons — nous coupons une partie de nous-même. Nous sommes tortueux, impénétrables. Nous faisons la chose que nous venons de décider de ne pas faire. Nous sommes le lieu d'une infidélité structurelle. Pour écrire il nous faut être fidèles à cette infidélité. Écrire par voltes. Par volts.

Le mot « entredeux » : c'est un mot dont je me suis servie récemment dans *Déluge* pour désigner véritablement un entredeux — entre une vie qui s'achève et une vie qui commence. Un entredeux, pour moi, c'est : rien. C'*est*, parce qu'il y a de l'entredeux. Mais c'est — je passe par des métaphores — un moment dans une vie où tu n'es plus tout à fait vivant, où tu es quasiment mort. Où tu n'es pas mort. Où tu n'es pas encore en train de revivre. Ce sont ces moments innombrables, qui nous atteignent de deuils de toute espèce. Soit qu'il y ait deuil entre moi, violemment, par la perte d'un être qui est une partie de moi — comme si un pan du corps, de la maison, était ruiné, s'effondrait. Soit, par exemple, le deuil que doit être, en soi, le surgissement d'une maladie grave. Tout ce qui fait que le cours de la vie est interrompu. A ce moment-là, nous nous trouvons dans une situation pour laquelle nous ne sommes absolument pas équipés. Les êtres humains sont équipés pour le quotidien, avec ses rites, avec sa clôture, ses commodités, son mobilier. Quand advient un événement qui nous expulse de nous-mêmes, nous ne savons pas « vivre ». Mais il faut. Nous voilà lancés dans un espace-temps dont toutes les coordonnées sont autres que celles auxquelles nous sommes accoutumés depuis toujours. De plus, ces situations violentes sont toujours nouvelles. Toujours. À aucun moment, un deuil précédent ne peut servir de modèle. C'est affreusement tout neuf : voilà une des expériences les plus importantes de nos histoires humaines. Parfois, nous sommes jetés dans l'étrangeté. Cet être à l'étranger sur place, c'est ce que j'appelle un entredeux. Les guerres causent des entredeux dans les histoires des pays. Mais la pire guerre, c'est la guerre où l'ennemi est à l'intérieur ; où l'ennemi est la personne que j'aime le plus au monde, est moi-même.

Par contre, ce sur quoi je travaille ne se passe pas dans l'interruption violente — qui s'ouvre, et à la place il y a une sorte de tissu étrange qui s'appellerait « entredeux » — mais toujours dans le *passage*. Dans le passage de *l'une à l'autre*. Pourquoi je dis : « de l'une à l'autre » ? Si je restais dans le cadre de la pratique sage de la langue française, je dirais : « de l'un à l'autre ». L'expression consacrée m'a toujours irritée. Cela aussi fait partie de mon travail : d'être irritée, comme la peau est irritée, par le côté entêté, désuet, d'un nombre de locutions idiomatiques qui ne sont pas interrogées et qui nous font la loi. Avec « de l'un à l'autre », on expulse le féminin — puisque aucun des deux éléments de l'ensemble ne porte la marque incontestable du féminin. Je préfère donc dire : de l'une à l'autre (mais je joue en même temps). Je crois que quand j'écris, c'est parce que quelque chose va de l'une à l'autre, aller et retour. Mais aussi, pour jouer, j'ai écrit : de *lune* à l'autre. C'est un jeu mais sérieux. C'est une façon de déhiérarchiser —tout. Nous, qui sommes géocentriques, comme nous sommes anthropocentriques, nous disons : de la terre à. Et la lune, c'est l'autre. Il y a très longtemps que je me sens dans un rapport poétique et fantasmatique, à la lune notre autre... à qui je dis toujours — muettement en la regardant — excuse-moi de faire comme si c'était toi l'autre, alors que c'est toi lune. Changeons. Si j'écris « de lune à l'autre », à ce moment là, l'autre ce serait la terre. Et c'est une bonne chose. Chacune chacun son tour. De toutes les manières. Pas seulement parce qu'il faut faire valser les hiérarchies ; c'est aussi parce que, à force d'ordonner sans le savoir, c'est-à-dire d'être ordonnés d'avance par la langue, on prive tout le monde de tout. Nous nous privons nous-mêmes de *l'altérité — de l'altérité de la terre*. Nous-mêmes, nous finissons par ne plus la voir d'un autre point de vue, alors qu'elle en a absolument besoin. La terre vue du point de vue de la lune est ranimée : elle est inconnue ; elle est à retrouver.

Voilà peut-être un de mes mobiles — je ne dirais pas un des motifs parce que je préfère que ce soit plus enfoui, une intention qui n'est pas volontaire mais qui est répandue en moi — cette tendance à réhabiliter ce qui est oublié, secondarisé. Ou bien c'est un leitmotiv inconscient : quand je parle, il surgit extérieurement à moi, et je le reconnais. Mais au fond, il est en activité en moi, en permanence, comme un des ressorts, comme une des sources de ce que j'écris. J'écris aussi sans cesse avec une pulsion de rétablissement de la vérité, de la justice. Je veux employer ce mot : la justice. Nous ne pensons pas juste. Le monde n'est pas juste. Cette non-justice mondiale que nous connaissons tous politiquement, elle s'est étendue jusqu'à notre imaginaire. Elle va jusqu'à faire que nous

> Dès que j'écris... ce n'est pas vrai.
> Et pourtant j'écris accrochée à la Vérité.

ne sommes pas justes avec la terre, avec les étoiles, avec le sol, avec le sang, avec la peau. Tout, d'avance, et sans même que nous en soyons avertis, est déjà rangé-classé selon une échelle qui donne la primauté à un élément sur un autre. Et le pouvoir à une chose, ou à un être sur un autre. Tout le temps. Et de manière non fondée.

Alors quand j'écris, dans l'écrivance même, dans le tissu, dans la course de l'écriture, je suis déjà en train de secouer tout ça. Pour que ce qui est en haut cesse d'être en haut en se croyant en haut ; non pas pour faire tomber le haut vers le bas mais pour que le bas ait le même prestige, qu'il nous soit rendu avec ses trésors, avec ses beautés. Et le haut aussi. Que le haut ne soit pas seulement l'opposé du bas. Soit sur un plan initial, augural, où nous retrouvions, d'une manière neuve, tout ce qu'il peut nous apporter. Je dis le haut et le bas : je pourrais évidemment changer à l'infini les termes.

> un déluge
> Il faudrait annuler le Temps, défaire l'Histoire. Dé-raconter. Dé-savoir.
> Dés-arriver
> Dé ac corder
> — Recommencer à zéro, tout puissamment

« Déchirure des conventions, des idées *"reçues"*, des sentiments reçus » : tu dis juste. C'est ce qui est reçu depuis toujours, et jamais mis en question, et mort depuis longtemps, que je ne reçois pas. C'est même le son du « reçu » qui m'alerte. Comme si j'avais une sorte d'oreille pour le cliché, dans tous les domaines : et aussi, pour le cliché de jouissance, le cliché dans le corps. Il doit y avoir des positions du corps et des sensations que nous avons perdues depuis toujours tellement notre corps lui-même est un cliché. Plus que les idées, ce sont les sentiments qui m'importent le plus au monde. Mon matériau de travail c'est ce qu'on appelait autrefois « les passions » ; ou, encore, les « humeurs » et ce qu'elles engendraient, c'est-à-dire les phénomènes qui se manifestent d'abord dans notre corps, en provenance des innombrables turbulences de l'âme. Autrement dit : ce dont nous souffrons. Ou ce dont nous jouissons. Et ça se touche, ça s'échange toujours. Le plus inouï, c'est de constater à quel point nous sommes tous ignorants de nous-mêmes. À quel point nous sommes « bêtes », c'est-à-dire sans imaginaire. À quel point nous sommes des sortes de bouchons sans poésie, ballottés sur des océans... Or tous, j'en suis persuadée, nous désirons ne pas être des bouchons ballottés sur un océan ; nous désirons être des corps poétiques, capables d'avoir un point de vue sur notre propre destinée ; sur... l'humanité.

Sur ce qui fait l'humanité, ses douleurs et ses jouissances. Qui ne serait pas le point de vue d'un bouchon. D'un bouchon sans bouteille, bien sûr ! Qui serait, aussi, grand. Je suis sûre que nous sommes tous assoiffés de notre virtualité de grandeur. Et elle est sans limites. Elle est aussi grande que l'univers. Et nous en sommes privés parce que nous ne savons même plus nous laisser sentir, nous permettre de sentir ce que nous sentons. Ni, non plus, accompagner ce sentir, du chant qui lui fait écho et nous le rend.

Ce qui nous arrive, nous le recevons avec des « sentiments-reçus ». Nous n'en profitons d'aucune manière. Ni en sachant en souffrir, ni en sachant en jouir. Nous ne savons pas souffrir, c'est peut-être le pire. C'est notre plus grande perte. Et nous ne savons pas jouir. Souffrir et jouir ont la même racine. Savoir souffrir c'est savoir jouir de sa souffrance. Savoir jouir c'est savoir jouir de manière tellement intense que ça devient presque une souffrance. Une bonne souffrance.

Mon matériau c'est cela. Je le prends où ? En moi et autour de moi. Ce qui me donne à écrire, c'est cette lave, cette chair, ce sang, ces larmes : qu'il y a en nous tous. Ce n'est pas moi qui les ai inventés. Ils sont travaillés dans tous les grands textes tragiques ; c'était leur chair, c'était leur corps. Je travaille (parce que je me trouve devant) des événements inconnus : ce que la vie m'apporte. La flèche que je reçois dans la figure. La voiture qui écrase la personne à côté de moi. L'incendie, la prison ; ce sont des choses qui ont un indice d'intensité très élevé. Mais on trouverait aussi, dans des situations moins aiguës, matière à travailler et à retrouver ce qu'on n'a jamais eu.

Tu as raison, je travaille tout le temps (sur) le rapport. Nous regardions ensemble le jardin : le jardin est un lieu de rapports. Ce lieu, on pourrait le dire de mille manières. Rapports de couleurs ensemble ; de différences d'espèces ensemble ; entre le végétal et l'humain. Rapport à tous les phénomènes de la croissance, à la question de la préservation. Jardiner est un acte d'une étrangeté absolue, en rapport avec la vie et la mort. Et pour peu que je me mette à m'écouter jardiner, j'éprouve une très légère souffrance en me disant : pourquoi jardiner alors que je sais qu'il va mourir ? Voilà l'autre pour moi. Entre nous la mort. Ensemble nous regardions le jardin.

M.C-G. — Si je t'entends bien, *Je* seul n'existe pas. *Je* n'est rien. *Je* n'est qu'avec l'autre et c'est l'autre qui me donne *Je*. L'autre est-il donc innombrable ? *Ils* sont aussi de toutes espèces, mes autres ?

H.C. — L'autre sous toutes ses formes me donne *Je*. C'est à l'occasion de l'autre que Je m'aperçois ; ou que Je *me prends à* : réagir, choisir, refuser, accepter. C'est l'autre qui fait mon portrait. Toujours. Et heureusement. L'autre, de toute espèce, est aussi de toute richesse diverse. Plus l'autre est riche, plus je suis riche. L'autre, riche, fera résonner en moi toute sa richesse et m'enrichira. C'est ce que les gens ne savent pas, en général, et c'est bien dommage. Ils ont peur de ceux qu'ils considèrent comme plus forts ou plus riches ou plus grands, sans se rendre compte que le plus riche, le plus grand, le plus fort, nous enrichit, nous rend plus grand, plus fort.

C'est l'autre qui fait mon portrait

M.C-G. — Cette attitude fait partie de l'esprit hiérarchisant dont tu parlais.

H.C. — Esprit qui sévit entre individus, entre peuples, entre partis. Tout le temps. Le monde se trompe. Il s'imagine que l'autre nous enlève quelque chose, alors que l'autre ne fait que nous apporter, tout le temps. L'autre est complexe. Il peut être notre ennemi, et notre ami.

M.C-G. — Il est incalculable, aussi. Ce qui n'est pas forcément mauvais.

H.C. — Notre ennemi n'est pas nécessairement mauvais. Notre ennemi nous apprend aussi quelque chose. Il ne nous apprend pas nécessairement la haine. Il fait surgir une sorte de carte mystérieuse de tous nos points de vulnérabilité. Il ne nous apprend pas seulement à nous défendre. Il nous apprend à grandir : car il y a bien des possibilités de travailler avec l'ennemi, quand il n'est pas la mort même. Quand il n'est pas la pulsion de mort ou l'assassinat.
Et inversement, tu disais « être contrecarrée par de l'autre » : je pense que tu devais faire allusion à des limitations ?

M.C-G. — Ou à des déplacements, à des changements de position qui éveillent une ankylose qu'on ne soupçonnait pas. Des habitudes, des manies, une routine. À cause de cela, le choc de l'autre est à la fois douloureux et salutaire. Du moins il me semble qu'on le vit d'abord comme cela : une douleur car une remise en question de l'image de soi, qui nous permet de croire qu'on se connaît, qu'on se reconnaît. Permet de vivre avec soi-même. De se reposer... aussi longtemps que « de l'autre » ne fait pas vaciller ce cliché intérieur.

Ainsi, l'autre peut être senti comme brisure, un point de rupture plus ou moins douloureux selon qu'on est plus ou moins habitué à l'image-de-soi, qu'une sorte de défense a été établie, un imaginaire qui nous tient sur la défensive.

H.C. — Voilà de la différence entre nous, c'est-à-dire que nous sommes fabriquées, pétries, écrites par des milliers d'éléments et d'auteurs qui aboutissent à un chapitre différent. Pour toi, si je te prends à la lettre, il y a toujours de la brisure et pour moi, d'une certaine manière, pas. Qu'est-ce qui fait que probablement une membrane, une défensive, quelque chose que je ne sais pas, se situe à un autre lieu pour toi que pour moi ?

M.C-G. — Pourtant, ce qui frappe dans tes textes — peut-être que brisure est un terme trop irrémédiable — c'est le fait d'être propulsé hors de moi, de nous, du « soi ». Et la question des passages : qui suis-je ? Ou plutôt, tu ne dis pas qui suis-je ? mais : qui *je* ? Qui *toi-moi* ? Qui les voix ? Les voix qui sonnent et résonnent. C'est un des passages, et c'est le contraire de l'identité. Et jamais de la psychologie. Comme ce n'est pas de la psychologie, il n'y a pas, pour la lectrice, risque d'identification — au sens où le romanesque l'entend. Il n'y a pas *une* voix, particulière, parmi toutes « tes » voix, pas *une* qui *me* parlerait. Au contraire, l'écriture oxymorique étonne et interpelle : le « souffrir-jouir » dont tu parlais à l'instant. Des oppositions, des paires, une pratique de l'entredeux entre des mots contraires et qui s'appellent.

Il y a, d'une part, la pratique d'écrivain qui interroge la langue. D'autre part, et ensemble, ce que tu as nommé « déhiérarchiser » et que j'appellerais d'un autre mot en écho : *désarmer*. Ton écriture ne cesse de désarmer : désarmer la tête, désarmer le cœur, désarmer le corps : les uns par les autres et tous désarmant la langue. Situation à la limite, intenable, que l'écriture tente de tenir.

Déhiérarchiser, Désarmer

Ce faisant, l'écriture travaille notre « condition fautière ». *Déluge* : « notre condition est fautière, mais la faute n'est à personne, elle est dans l'air, dans l'heure, dans les fuseaux horaires : nos lettres n'arrivent pas à l'heure où elles partent, ni nos battements de cœur ». C'est aussi la condition fautière de notre imaginaire, celle de l'humain, de la « bêtise ». À cet égard, je trouve à tes derniers ouvrages un côté pascalien — *Déluge*, *Jours de l'an*, *L'ange au secret*. Ce n'est pas une référence qui t'est familière et tu désignerais plus volontiers Shakespeare... J'entends un accent pascalien dans la façon de mettre en scène de l'humain déchiré entre nain et géant, tragédie et comédie, entre du gigantesquement fou et du follement intime. La « condition fautière », c'est le dérisoire décalage du quotidien, que dit l'image de « nos lettres qui n'arrivent pas à l'heure où elles partent. » Notre problème : le temps. Nous n'*avons* pas le temps ; nous ne *sommes* pas à l'heure. Toujours dans un passage. Le problème du temps c'est aussi celui de l'écriture. Tu as parlé d'un entredeux qui est un moment de rien, de deuil, de passage « à vide » comme on dit. Dans *Déluge*, je lis aussi l'entredeux de l'écriture : le passer qui la constitue. La condition de l'écriture : tel est ton lieu d'action. Un exemple vers la fin de *Déluge* : « Je dis la vérité. Je dis : la vérité, je dis le mot : vérité, et aussitôt la terre tremble et bascule violemment contre mon intention, l'harmattan me roule dans ses énormes vents d'apocalypse. » Après avoir écrit : « Je dis la vérité », aussitôt par la reprise d'un alinéa, tu rectifies, un rien, une ponctuation (:) qui écarte, décale, déporte. *Un rien qui change tout*. Le minuscule renverse : deux points, une virgule, tout bascule. Rythmer autrement, scander autrement : tout vacille. C'est la force de l'écriture : l'intervalle ouvert par la ponctuation se creuse, fait passer du concept au mot — et c'est « l'apocalypse ». Tu parles justice et non justice. Justesse aussi : que nous ne pensons pas juste. Ce qui fascine — et qui n'est pas de l'identification psychologisante — c'est la justice-justesse de l'écriture, la vérité *cardiaque* qui bat dans tes textes. Bat ou donne la mesure. Brisure, c'est en ce sens : sans doute vaudrait-il mieux battement, souffle, syncope pour désigner le passage — minuscule énorme qui fait toute la différence : « Je dis la vérité. Je dis : la vérité. »

« Au moins, (disait Montaigne mon tiers le plus antique et le plus nécessaire) devroit notre condition fautière nous faire porter plus modérément et retenuement en noz changemens. »
En vérité si nous n'étions pas toujours à oublier à quel point nous sommes fautiers, nous ne serions pas si couramment « faux tiers ». J'aime mon tiers à la folie et chacun de ses mots également. Parce qu'il n'est pas un seul mot de lui qui ne remue cinq cents fois en même temps : dis « fautière », tu entendras : faut tiers, faux tiers, faute hier, faut hier, faux témoin, vrai témoin, faut faux, faux faute, faux hier vrai demain... C'est pour cela que ce mot nous enchante.

H.C. — En effet je ne te suivais pas sur le mot *brisure*. Voilà, le fin de la langue ; c'est un mot qui ne convient pas à ce que je sens. Car dans brisure je sens : irréparable. Mais *de la blessure* il y en a. La blessure, c'est cela que je sentirais. La blessure, chose étrange : ou je meurs, ou il y a un travail qui se fait, mystérieux, qui va rassembler les bords de la plaie. Chose merveilleuse aussi : qui va quand même laisser une trace, même si cela nous fait du mal. C'est de ce côté-là que je sens les choses se passer. La blessure est aussi une altération. Brisure, pour moi, restait du côté d'une matière moins charnelle. Je vois un bâton qui se brise... bien sûr, on peut aussi se rompre les os, mais ensuite les bâtons du corps se réparent et pas de cicatrice... J'aime la cicatrice, ce récit.

Incompréhension négative
Incompréhension positive

Pour en revenir à l'éventuel choc avec l'autre, la violence de l'autre : il y en a une qui est quotidienne, à nous de la gérer. Nous sommes toujours en rapport avec une *incompréhension négative* ; même pas une incompréhension, mais très souvent, une non-compréhension. Simplement : il n'y a pas d'ouverture. Et cela s'étend à l'infini, dans toutes nos relations. Mais il y a aussi *l'incompréhension positive*. C'est peut-être ce que nous découvrons en amour ; ou en amitié-amour : le fait que l'autre est tellement autre. Est tellement pas-moi. Le fait que l'on puisse se dire tout le temps : là justement, je ne suis pas comme toi. Et ça a toujours lieu dans cet échange, dans ce système de réflexion où c'est l'autre que nous regardons — nous, nous ne nous voyons jamais ; nous sommes toujours aveugles ; nous voyons de nous ce qui nous revient à travers (la différence de) l'autre. Et ce n'est pas grand-chose. On voit beaucoup plus de l'autre. Ou plutôt, d'une part, on voit énormément de l'autre et d'autre part, à un certain moment, on ne voit pas. Il y a un moment où commence l'inconnu. L'autre secret, l'autre même. L'autre que l'autre ne connaît pas. Ce qui est beau dans le rapport à l'autre, ce qui nous émeut, ce qui nous bouleverse le plus — c'est cela l'amour — c'est lorsque nous apercevons une part de ce qui lui est secret, ce qui est caché, que l'autre ne voit pas ; comme s'il y avait une fenêtre par laquelle nous

> J'aime le *dialogue* (c'est pour ça que j'aime le théâtre) —travail, danse, tâtons, rectification, repentirs, malentendus —(portrait de dialogues) — cours et blessures — duo

voyons battre un certain cœur. Et ce secret que nous surprenons, nous ne le disons pas ; nous le gardons. C'est-à-dire, nous le gardons : nous n'y touchons pas. Nous savons par exemple, où est situé son cœur vulnérable ; et nous n'y touchons pas ; nous le laissons intact. Cela c'est de l'amour.

Mais il y a aussi un ne pas voir parce que nous n'avons pas les moyens de connaître plus loin. Il y a des choses que nous ne comprenons pas parce que nous ne pourrions pas les reproduire : des comportements, des décisions qui nous apparaissent comme étrangers. Cela aussi c'est de l'amour. C'est se trouver arrivé au point où va commencer l'immense territoire étranger de l'autre. Nous en pressentons l'immensité, l'étendue, la richesse, cela nous attire. Cela ne veut pas dire que nous le découvrirons jamais. Je peux imaginer que cette étrangeté infinie soit menaçante ; inquiétante. Elle peut être, aussi, tout le contraire : exaltante, admirable, et au fond, de la même espèce que Dieu : on ne sait pas ce que c'est. C'est le plus grand ; c'est loin. Au bout du parcours d'attention, de réception, qui n'est pas interrompu mais qui se prolonge dans ce qui, petit à petit, devient le contraire de la compréhension. Aimer ne pas comprendre. Aimer : ne pas comprendre.

Tu disais : ça n'est jamais de la psychologie. La psychologie est une bizarre invention, à laquelle je ne comprends rien, une sorte de gadget verbal. Nous sommes d'abord des êtres sentants.

> croire : avoir foi dans l'autre au delà de
> toute preuve
> [mouvement de la foi
> croire l'autre même s'il se ment
> croire (en) Dieu même s'il n'existe pas
> Il n'y a pas de preuve de l'existence de Dieu :
> il y a la foi
> La foi : *mon* mouvement. J'existe Dieu.

Nous sommes d'abord des êtres sentants

Le plus passionné, le plus passionnant en nous, c'est la quantité, le déferlement d'affects extrêmement fins et subtils qui prennent notre corps comme lieu de manifestation. Ça commence par cela, et c'est seulement tardivement, et pour faire vite, pour rassembler, que nous mettons des noms, généraux et globaux, sur une quantité de phénomènes particuliers. Dans *Mon Pouchkine*, Tsvetaeva dit, en passant : ça commence par une brûlure dans la poitrine, et *après* ça s'appelle amour. Or c'est *avant* que « ça s'appelle » que l'écriture se déploie. Avant... C'est sans doute la cause de mon problème avec les titres : je viens d'écrire un livre, on me demande comment ça s'appelle... et il n'y a jamais de titre. Jamais. Il faut obéir à la loi du livre qui est d'avoir un titre. Pour moi le livre ne devrait pas avoir de titre. Le livre s'est écrit avant le titre, sans titre.

Le rêve ce serait que quelqu'un qui soit mon alter ego prenne la décision magique de nommer, de me donner le nom.

> Tellement à l'intérieur qu'il n'y avait *jamais eu de nom.*
> (Pas de noms dans l'escalier, pas de noms dans la cuisine)
> C'étaient les voix qui se voyaient.

M.C-G. — Le titre est une réduction — comme si on pouvait rendre compte de deux cents pages en quelques mots...

H.C. — Chaque (mot ou) phrase d'un texte a survécu au naufrage de deux cents pages. Le processus de l'écriture c'est circuler, caresser, peindre tous les phénomènes avant qu'ils ne soient précipités, rassemblés, cristallisés dans un mot. Pratique qui n'est pas seulement la mienne. Donc, ce n'est pas « la psychologie » puisque ça commence par cette annotation expérimentale qui, de plus, est toujours sur le vif. C'est-à-dire toujours mobile. Est datée ; porte les dates d'un certain moment qui ne reviendra pas. Ou parfois ce que l'écriture fait comme bien, c'est ce travail minutieux que, lorsqu'on n'écrit pas, on n'a pas le temps de faire ; on ne prend pas le temps de faire. Si bien que ces innombrables événements intimes qui nous constituent, finalement on ne les aura pas vécus parce qu'on ne les a pas recon-nus. Dans un livre, parfois, tout d'un coup, on voit passer le portrait d'une palpitation, d'un instant dont on a été soi-même le personnage principal sans avoir pu le retenir. C'est cela que le livre donne : cette (re)connaissance qui nous avait échappé.

L'écriture « oxymorique » : peut-être, mais c'est la réalité qui l'est. Quand je dis jouir de la souffrance, ce n'est pas un trope ou un effet de rhétorique. C'est exactement ce dont nous sommes la chance, nous, êtres humains. Le mot souffrir est en général connoté négativement, comme douloureux. Mais : il suffit de souffrir pour savoir qu'il n'y a pas que de la douleur dans la souffrance de l'âme ; qu'on peut souffrir sans douleur. Et que pour l'âme il y a parfois, à souffrir, un étrange bénéfice. Qui n'est pas un bénéfice joyeux, mais un bénéfice.

Dont la souffrance ne peut pas se passer. La fièvre, qui est insupportable, est un phénomène défensif. C'est un combat. C'est la même chose pour la souffrance : il y a dans souffrir toute une manœuvre de l'inconscient, de l'âme, du corps, qui fait que nous arrivons à supporter l'insupportable.

Où nous mène la manœuvre ? Par exemple à ne pas être exproprié ; à ne pas être la victime de la souffrance mais à en être le sujet. Bien sûr qu'il y a des souffrances dont on est victime, des souffrances du corps qui nous privent de l'esprit et de celles-là on meurt. Mais les pires souffrances, les êtres humains essaient de les vivre. D'en faire de l'humanité. De les distiller, d'en comprendre la leçon. C'est ce qu'ont fait les poètes dans les camps de concentration. Et ce que nous faisons, nous, quand la douleur qui nous atteint dans notre vie personnelle, fait de nous des poètes.

De jouir, on peut dire la même chose. Qui n'a pas souffert de jouir, qui n'a pas souffert de joie, n'a pas connu la vraie joie. La vraie joie, quand elle atteint un paroxysme, nous rend fou. Parce que — heureusement d'ailleurs — elle nous dépasse, elle est plus grande que nous. Nous souffrons de notre petitesse et nous faisons des efforts surhumains pour être surhumains. Pour suivre la joie.

Quant à ce que tu appelles, pourquoi pas, le côté pascalien c'est-à-dire nain géant, moi je le dirais, oui, plutôt shakespearien. Si Shakespeare a traversé les siècles, c'est qu'il n'a pas fait de rupture dans la vérité de nos états. Il a toujours fait apparaître ce qui nous arrive en réalité : que dans la tragédie la plus extrême, dans la douleur la plus extrême, nous pouvons nous sentir ridicules et être ridicules. C'est d'ailleurs ce que nous redoutons. Car nous sommes dans le registre multiple tout le temps. Le registre monovocal n'existe pas. C'est ce que je raconte dans *Déluge* : quand quelqu'un est en proie à un désespoir atroce, il a un problème de mouchoir. Tout à coup, pas de mouchoir ; et tu te rappelles que tu n'es pas un acteur dans une tragédie mais une personne humaine. Être au fond de l'angoisse, prêt(e) à mourir et se dire : et en plus, demain, je vais avoir les yeux gonflés, ça, c'est nous. C'est que nous ne cessons pas d'être en train de vivre, même quand nous sommes en train de mourir. Au bord de la tombe, nous vivons, nous nous mouchons, un miroir nous regarde.

La souffrance est une noblesse de l'être humain

Et puis, dans les moments les plus cruels de l'existence, au fond, nous serons enclins à chercher la forme noble : par une sorte de besoin, peut-être, de nous prêter secours narcissiquement. C'est-à-dire de nous voir d'un point de vue qui nous élève au moment où nous sommes abaissés. Peut-être, aussi, parce que *c'est* noble ; parce que la souffrance est une noblesse de l'être humain. Alors nous sommes gênés parce que le quotidien, qui lui n'est pas noble du tout, fait irruption dans notre haute scène : et nous ne savons pas très bien de quel costume nous sommes habillés, ni de quel mouchoir nous nous mouchons. Si c'est un kleenex ou si on va chercher un beau tissu. Le nain géant, c'est la même chose : ce sont les deux extrémités de notre être ensemble. Nous sommes des nains géants, ou des géants nains. C'est-à-dire les deux à la fois, c'est ce qui est beau. Et c'est Shakespeare. Le charme du théâtre, ce qui fait que nous pouvons aimer le théâtre ou que le théâtre peut avoir une vie, c'est qu'il joue ces deux notes à la fois. D'une part, il faut qu'il atteigne, par son langage, le registre royal qui est le registre universel. Car le registre vulgaire est un registre excluant. Dès qu'une chose est vulgaire, elle exclut, en fait, la majorité de l'humanité. Quand une chose a, au contraire, une élévation, qu'elle est poétique, c'est là qu'elle est démocratique. C'est là qu'elle est universelle. D'autre part, et en même temps, le plus grand, se communique au public par un système de signes qui restent modestes. Comme si le prophète, ou la reine, ou le roi, bon ou mauvais qu'importe, devait tendre une passerelle minuscule pour que le public le rejoigne. Comme s'il fallait qu'il n'y ait pas d'interruption entre le présent de la représentation et l'éternité dans laquelle se situe, au-delà du présent, toujours, la scène de théâtre. Et pour cela, chaque fois, on passe par le tout petit, par le plus petit détail.

Pour en revenir au nain au géant, au géant au nain : ça s'échange. Je n'imagine pas un nain nain, ni un géant géant. Quand je dis un nain, je veux dire quelqu'un qui se sent tout petit — ce qui nous arrive tout le temps. Probablement, dans l'intimité, nous sentons-nous un peu ou trop nains devant l'ogre-monde. Mais, dans la rencontre avec le monde, nous devons être et nous sommes, certainement, plus grands que nous-mêmes : ceci est le point de vue du moi. Maintenant, le point de vue sur l'autre : sûrement que l'autre le plus émouvant est l'être le plus admirable, grand par générosité, qui en même temps n'est qu'un nain être humain. J'ai au fond de moi une image qui, je crois, vient de Blake, c'est une vision d'un couple humain : il est au bord, sur la ligne qui borde la terre, en face des étoiles. Je viens de voir à Bonn une autre vision : ce sont les tout petits personnages de Giacometti, ils ont 1 cm 1/2 de taille, ils étaient exposés dans un très grand cube de lumière. Ce qui m'émouvait, ce n'était pas les petits personnages — si on les avait mis sur la table, ils seraient tombés par terre comme des allumettes — c'était l'ensemble. C'était l'aller-retour. Leur petitesse faisant l'immensité. L'immensité les faisant — immenses : immensément petits.

M.C-G. — Question de rapport. C'est le rapport au grand cube de lumière.

> Ce dont nous avons honte : ce dont nous avons gloire.
>
> le sujet était la peur
> la peur du feu
>
> — Je veux dire la peur de
> la honte —
>
> De fuite suspendue
>
> La peur de se voir avec des mauvais yeux.

H.C. — Et c'est cela que nous sommes. Nous sommes de tout-petits-corps-dans-un-grand-cube-de-lumière. Or, il se trouve que la jonction entre ce côté minuscule et ce côté infini produit presque tout le temps des effets comiques. Ce dont je me réjouis. Je pense que le rire se déclenche quand on n'a pas peur. Quand on voit que l'immense n'est pas écrasant ; et aussi, peut-être, quand le maternel en nous peut se manifester : comme la possibilité imaginaire de prendre dans ses bras une montagne. C'est-à-dire de savoir qu'on peut toujours donner la vie, la protection, la garde, même au plus grand. Et que le plus grand a besoin, aussi, de cette garde-là. Et que l'on échappe ou l'on a échappé à la mort.

J'aime beaucoup ce que tu disais sur le fait que ce qui renverse — dans mon texte — c'est une virgule. Ça, c'est notre privilège dans la langue. Dire que nous disposons de la chose la plus grande dans l'univers, et que c'est la langue. Ce qu'on peut faire avec la langue c'est... l'infini. Ce que l'on peut faire avec le plus petit signe !... C'est peut-être pour cela que tant de gens n'écrivent pas : parce que c'est terrorisant. Et inversement c'est ce qui fait que certains écrivent : parce que c'est enivrant. La langue est toute-puissante. On peut tout dire, tout faire, de ce qui n'a pas encore été dit, pas encore été fait. Et ce qui est beau c'est que c'est si économique. Il suffit de déplacer une lettre, un point, une virgule, et tout change. À l'infini.

M.C-G. — Blessure et non brisure : absolument d'accord. C'est le mot qui dit le choc avec l'autre. Blessure : ce à quoi je suis sensible dans les textes que tu écris. Les connotations dichotomiques attachées à certains mots s'y trouvent dépassées. À chaque instant, on y fait le constat qu'on ne *vit* pas : parce qu'il faudrait inventer ou réinventer les mots. Il n'y a que des mots positifs et des mots négatifs : par exemple « souffrance ». Quant aux traces qui ne sont pas quantifiables, ni classables, nous les censurons. Tu dis notre peur : que nous croyons qu'il faut effacer les traces de peur et de souffrance. En effet, la perte de cette mémoire est appauvrissante et sa réinscription fait tout le soin de ton écriture. Car seule la forge de la langue peut donner la vérité de nos sentiments, la connaissance sensible de nos affects. Non sans ce paradoxe : nous n'écrivons pas parce que nous sentons mais nous sentons parce que nous écrivons — et d'autant plus.

> Si je vous disais que ce livre est déjà... presque —
> à l'instant même.
> Il faut seulement que j'y mette le temps et le papier. C'est le plus difficile.

Quant à l'amour : j'ai toujours pensé que la personne que j'aime est la personne avec laquelle je peux être vulnérable sans qu'elle en prenne avantage. Amour et vulnérabilité ont partie liée. Mais il faut marquer la différence, nous sommes d'accord, entre la psychologie que tu refuses et les affects très subtils qui te requièrent. À cet égard j'aimerais que tu précises la fonction des majuscules dans tes récits : Amour, Déluge, Récit, Poids du Livre, etc... Elles ne représentent pas des entités, ne consistent pas à réduire une gamme infinie de palpitations à quelques catégories globales. Il faudrait préciser en quoi elles résultent d'un travail minutieux, ont une autre visée que celle de convoquer de « grands », de « gros » mots généralisants.

La fièvre : une manière de défense qui nous permet d'être sujet et non pas victime. Je pensais en t'écoutant que nous souffrons de tiédeur et de frilosité. C'est ce que tes textes disent. J'aime cette fièvre ; le paroxysme qui est mis en jeu : où jouent toutes sortes de liaisons, y compris le jeu de *je*. Certes, c'est la question du mouchoir et du théâtre de l'humain. Mais s'il y a fièvre, il y a aussi tâche : tu n'as pas peur du détail, du labeur minuscule de l'écriture qui fait de l'écrivain un tâcheron. Tâcheronner pour arracher la « souffrance » aux clichés de noblesse dont la charge la littérature — afin d'avertir que les mots sont piégés. D'où une étonnante tension dans tes livres entre l'écriture de la blessure et une certaine jubilation de l'écrire, qui porte du deuil au jeu qui est joie du travail. Autre oxymore prégnant : deuil-joie. Est-ce qu'être sujet et non plus victime, ce n'est pas devenir le *sujet de l'écriture* ? Au sens du double génitif.

Tu construis ainsi une mise en scène singulière où se confrontent le sujet-de-l'écriture et l'autre, l'auteur et les multiples Je-moi par quoi, au moment de prendre quelque maîtrise, le sujet se trouve dans une infinité de passages, devient donc innombrable et inassignable (par exemple tu fais jouer l'auteur-elle et Je-aile). Ce qui permet de tenir ces enjeux de non maîtrise c'est d'abord, je crois, un dispositif *d'échangeurs* dans le texte — échangeurs de registres qui font réfléchir la langue par effervescence. Tu as parlé du nain, du géant, et aussitôt mis en garde : il faut à nouveau définir le nain qui n'est pas nain, le géant pas géant.

Pour rendre la langue *vive*, l'écriture ménage des passerelles entre les registres — comme des échangeurs d'autoroute. La métaphore y tient un rôle privilégié. À tous les sens du terme elle est transport : ascension ou élévation. Et déplacement incessant ; par quoi un mot c'est-et-ce-n'est-pas ce mot, c'est aussi son contraire, son voisin, son double phonique.

Les échangeurs du texte

Les échangeurs d'écriture constituent ainsi un tissage qui rend tes textes uniques ; il opère une mise en relations tous azimuts des éléments : du grand au petit, de bas en haut et vice versa, forme des réseaux très subtils. *On ne part pas, on ne revient pas*, écrit pour le théâtre, expose des aspects connaissables par tous et rapportables à la banalité : une femme se rend compte qu'elle n'a jamais pu partir ni réaliser son désir d'écriture ; qu'elle s'est soumise à la carrière de son mari, chef d'orchestre. En même temps, tout cela se situe à l'opposé de la banalité car dit par un extraordinaire dispositif de résonances : le dos du chef d'orchestre devient métaphorique du « mur d'incompréhension » dans le couple :

« On se trompe quand on prétend
Voir le visage du chef d'orchestre.
Le chef d'orchestre nous tourne le dos.
Le secret est dans ce dos tourné.
[...]
.... pendant trente années
Je n'y avais jamais pensé.
À ce dos.

Mais il y a trois ans, ce dos — est devenu un mur
Ce que j'ai vu soudain : un mur.
[...]
Avoir un mur pour amant, c'est insupportable
[...]
Tout d'un coup j'ai vu : un mur.
C'est un malheur. Un accident. »

Le texte aussitôt dit ce qu'il fait, souligne le déplacement métaphorique :

« On ne devrait jamais voir avec ses yeux de chair
Les métaphores cachées
Dans les êtres humains. »

On entend ensuite l'écriture procéder mot à mot : le dos du chef d'orchestre *consonne* avec la folie de Schumann : « avec la note do dans l'oreille, nuit et jour / do brûlant dans l'oreille » cependant que le désir de départ de Clara s'accorde à « la couleur du champ de blé » et à son « corps capable de champ de blé », image qui emblématise tout ensemble l'état poétique et le désir d'écrire.

Tel est le tissage : à la limite, dans une sorte d'exaltation des possibilités (des possibles) du texte. L'exigence de l'écriture n'est pas question d'humanisme. Je crois qu'il importe de faire la distinction

> Le mot *Ambi* me manque : ambi — deux,
> tous les deux, tous deux, les deux
> amphibologie
> ambigu
> ambivalence (un mot qui n'est pas dans le Littré!!)
> mot moderne (1924)
> Les deux côtés
> La pensée des deux côtés

entre le « théâtre de l'humain », la « condition fautière » tels que tu les explores par la créativité langagière, et le récit « humaniste » fondé sur les valeurs pré-établies d'une écriture de la représentation. Pour éviter malentendu, j'aimerais préciser ce que tu entends par « l'humain » constitutif de ton écriture de fiction.

Tissage, échangeurs, dispositif réticulaire, non-maîtrise d'un sujet de l'écriture, tout cela fait naître aussi une exigence de la lecture : elle est de l'ordre de l'image de Blake que tu évoquais. Être au bord de la terre, face aux étoiles. Astre et désastre ; comme dans ces lignes de *Déluge* : « au milieu de l'histoire de sa vie, exactement au milieu, et au milieu de l'âme, un trou, de la taille d'un cratère d'astéroïde. Vivre était tous les jours un effort immense pour demeurer sur le fin rebord du gouffre. » (p.224). Le texte creuse dans la lecture — du moins la mienne — « un cratère d'astéroïde ». Il la fragilise. À son tour, la lecture devient attente, aspiration, exaltation du/des sens.

H.C. — La peur des traces, ou la peur de la mémoire : c'est évidemment une peur *au présent*. On a toujours peur de se voir souffrir. C'est comme quand on a une blessure ouverte : on a terriblement peur de la regarder... et en même temps on est peut-être aussi la personne qui est capable de la regarder. De quoi a-t-on peur ? Ce sont des métaphores, n'est-ce pas : si on a eu un accident, avec des lésions très graves, et surtout une lésion ouverte, dès qu'on *voit* une altération du corps, on voit l'autre chose : on voit la mort, on voit qu'on est quelqu'un d'autre, on ne se reconnaît pas, on ne reconnaît pas son propre bras, son propre pied, et la peur devient incalculable. Je me sers là de référents réalistes mais ce sont aussi des métaphores de toutes les peurs. Toutes ont comme racines la peur des peurs. Ces peurs, on peut les comprendre et ne pas les comprendre. Ce sont elles qui engendrent un recul, une fuite devant la réalité dans ce qu'elle peut avoir de déchirant. Mais parfois, en fuyant, c'est la vie qu'on perd. On croit qu'on sauve sa vie, mais on la perd. Parce que tous les événements déchirants font partie intégrante de la vie. Et la constituent. Jules César : « Cowards die many times before their death » — et c'est vrai. Tu meurs de mille morts avant ta mort si tu as peur. Et cependant, tout le monde est lâche.

Cowards die many times before their death

Alors autant savoir que l'ennemi principal dans la vie, c'est la peur. Écrire n'a de sens que si le geste d'écrire fait reculer la peur. Comme toujours, c'est double : il faut avoir peur et ne pas avoir peur d'écrire pour écrire, et en même temps, en écrivant on fait reculer la peur. À propos de Déluge et de la jubilation de l'écriture : Déluge raconte donc, essaie de noter ces expériences

> Ce qui me lie à ma parenté élective, qui me tient dans l'attirance de mes guides spirituels, ce n'est pas la question du style, ni des métaphores, c'est ce à quoi ils pensent sans arrêt, l'idée du feu, sur laquelle nous gardons un silence complice, afin de ne pas cesser d'y penser. Aucune complaisance. Seulement l'aveu de la peur du feu. Et la compulsion d'affronter la peur. Nous avons besoin du feu.

de deuil si délicates à noter, qui se situent dans un lieu où l'on est rarement jeté. Le fait qu'il y ait une jubilation de l'écriture ne doit pas réduire l'intensité de l'expérience de deuil, ni faire illusion. Ce n'est pas : le deuil c'est petit, l'écriture c'est grand. Pas du tout. La douleur est toujours, malheureusement, plus forte que tout. Ce qui se passe, ce n'est pas la jubilation de l'écriture ; c'est le sentiment étrange, le jaillissement de joie que nous pouvons avoir quand nous découvrons (et pas seulement en écriture) : je devrais être mort(e) et quand même je ne suis pas mort(e). Ou encore : cette mort qui devrait me tuer ne m'a pas tuée. C'est la jubilation que l'on éprouve à être encore vivant, l'excitation sans pitié de l'échappée belle. Quand j'étais petite, on m'avait appris la mort d'un cousin de mon père, qui survint peu de temps après celle de mon père et de la même manière : et j'avais éclaté de rire. La mort m'avait traversée et j'avais ri. Je me suis effrayée jusqu'à ce que je comprenne. Ce phénomène d'hilarité nerveuse, c'est que : j'étais vivante ! Exactement cette victoire sans mérite qui nous émèche — et qui peut d'ailleurs se manifester autrement que par des éclats de rire — quand nous avons été frôlés par la mort. On doit avoir le courage de se dire une chose qui peut être embarrassante : il y a une différence infinie entre frôler la mort et mourir. Au moment où tu hurles, où tu te dis « je vais mourir », surgissent trois mots qui appartiennent au registre toujours sauvé de l'écriture. C'est avouer — avouer la vie. Disons que je m'en porte témoin ; que d'autres que moi s'en portent témoins.

Le registre toujours sauvé de l'écriture

Longtemps, je me suis demandé ce qu'il en avait été dans les camps de concentration, quand vraiment il y a tout lieu de désespérer, toutes circonstances, est-ce que reste encore ce sentiment triomphant — car c'est un triomphe ! Et puis, en rencontrant des résistants et en découvrant des œuvres, j'ai vu : oui, il y a du triomphe jusqu'à la dernière minute. Jusqu'à la dernière seconde. Notre véritable noblesse : en nous une ressource fait que, même quand nous sommes réduits, quand nous sommes anéantis, quand nous sommes méprisés, annihilés, traités comme on traite les gens dans les camps, le génie poétique qui est en tout être humain résiste encore. Peut résister encore. Cela dépend de nous.

Et ce n'est pas ce qu'on pourrait croire : ça n'enlève rien à l'immensité de la douleur. Parfois nous avons aussi ce phantasme : ce vouloir respecter la douleur, en lui faisant un cortège magnifique et funèbre.

Si je ne suis pas déjà dans mon cercueil, se dit-on alors, c'est donc que ma douleur n'est pas aussi grande que je le crois. Pas du tout. C'est la vie qui est plus grande que nous le croyons ! Dans ces moments-là, en tout cas, nous ne sommes pas les maîtres de l'écriture ; mais la passivité trouve sa limite : c'est-à-dire que nous sommes en activité. Et puis, lorsqu'on écrit dans ces circonstances, c'est qu'on est l'autre. Peut-être que moi je vais mourir : mais reste l'autre. À ce moment-là, c'est quand même l'autre qui écrit.

Ces drôles de chevaux que sont les métaphores

Le mot échangeur : un mot tout à fait opérationnel ici. J'ai le sentiment, peut-être trompeur, que l'usage intensif que je fais des métaphores n'est pas arbitraire ou capricieux. Pour moi, la provenance de la métaphore c'est l'inconscient. D'abord, je me permets depuis longtemps de me servir de l'écriture des rêves pour mener une certaine recherche en écriture. Je pose, en disant cela, que le rêve ne triche pas avec la métaphore. Que c'est impossible, par définition. Qu'il y a là une production nécessaire puisque dictée non pas par une volonté ou une conscience d'écriture mais par le drame qui se joue derrière la pensée et dont je ne sais rien. Une force qui ne m'appartient pas me traverse. Une force que je ne suis pas me raconte mon histoire. A ce moment-là, le costume, les objets, les scènes de l'inconscient sont suscités par des rapprochements non décepteurs, qui décèlent des relations entre tel objet, telle scène —selon, bien sûr, le travail que Freud a décrit. Lorsque j'écris, ça se passe toujours de cette manière-là. Soit je me sens dans ce fleuve, soit je laisse venir la métaphore, exactement comme si j'étais en train de rêver. Je ne la prends pas à l'extérieur. Elle vient vraiment du dedans. Je ne vois pas comment on peut écrire autrement qu'en se laissant emporter sur le dos de ces drôles de chevaux que sont les métaphores.

Par ailleurs, j'écris des textes très en mouvement. Mouvementés. Enfin, je l'imagine. Il doit donc y avoir un rassemblement, une collecte métaphorique qui relève à la fois des registres du transport, mais aussi qui en repasse toujours par le premier des

> Les (souffrances) douleurs sont à l'intérieur, cognent là entre les yeux. Le corps est devenu geôle, dedans.
> étroit
>
> (Ça n'avance pas, ça recommence)
>
> Douleur des jambes qui ne peuvent pas croire qu'elles sont coupées. Douleurs *dans* les jambes.

moyens de transport qui est notre propre corps. Ce que nous sommes capables de faire comme exercice de traduction avec le corps ou comme traduction de nos affects en termes de corps est illimité. Je ne dis rien de neuf. L'échangeur central c'est le corps en métamorphoses. Ce que nous montre le rêve dans son théâtre c'est, à découvert, la traduction de ce que nous ne pouvons pas voir, de ce qui n'est pas visible mais qui est sensible en réalité. Je suis passionnée par les apparitions, dans mes rêves, de personnages qui sont les personnages de la pièce de théâtre qu'est ma vie pendant un certain temps ; parce qu'ils apparaissent toujours modifiés, altérés, en ce que je pense d'eux ou ce qu'ils me font. Et cela m'apprend sur mes propres secrets beaucoup de choses ignorées. Comme si l'âme se peignait sur le visage. Je retrouve Tchikamatsu le maître du théâtre japonais qui savait que le masque c'est l'âme qui monte au visage.

Quant à ce tissage dont tu parlais tout à l'heure, là aussi rien chez moi de volontaire ; je ne prends pas un élément *a* et un élément *b* pour les raccorder. Cela se fait du plus profond de moi. Le signifié et le signifiant font œuvre commune sans que je puisse dire, d'ailleurs, lequel mène, parce que l'un appelle l'autre. Et réciproquement. Alors, comment ? Un travail se fait dans cet espace que nous ne connaissons pas, qui précède l'écriture, et qui doit être une sorte de région ou de territoire énorme où s'est rassemblée une mémoire composée de toutes sortes d'éléments signifiants qui ont été gardés ou relevés — ou des événements que le temps a transformés en signifiants, perles et coraux de la « langue » de l'âme. Des éléments de langue, comme le *do* de Schumann, qui ont été emmagasinés. Il doit y avoir en moi une sorte de « force » magnétique qui recueille, sans que je le sache, des joyaux, des matériaux, de la terre, propices à un livre futur. C'est ma mémoire d'écriture qui fait cela. Je dis « ma mémoire d'écriture » parce que ce n'est pas la mémoire de la vie, ni la mémoire de la pensée. Ça se passe avec des éléments sonores, esthétiques, etc. Peut-être, aussi, qu'il y a, au fond de moi, une surface enregistreuse, réceptrice de micro-signes — ça doit deviner que ces signes ne sont pas solitaires et perdus mais sont des émetteurs ; en communication avec d'autres signes. Un exemple : j'avais été frappée, sans m'en rendre compte, par le géranium rouge qui s'allume dans *les Démons* de Dostoïevski. Ce fut comme si, tout à fait par hasard, j'avais ramassé par terre une clé qui ouvrait un monde magique. Finalement, le géranium n'était

> Photo d'un rêve: Rêve est capable d'éclairs — j'aimerais pouvoir prendre la photo d'un rêve.

absolument pas accidentel, c'était surdéterminé. Et il n'était pas seulement de ma propre manie ou de ma propre mémoire mais en effet, un indice qui fonctionnait dans plus d'un inconscient. Pas seulement le mien. Beaucoup d'autres.

Ce qui donne de la force à un ensemble signifiant, c'est qu'il n'est pas gratuit. Ce qui est surprenant c'est la distance parcourue entre deux signifiants qui vont s'allier pour produire un certain sens. Le dos du chef d'orchestre ne me vient pas du *do* de Schumann. Il s'impose quand on pense à un chef d'orchestre. On n'y pense pas toujours mais c'est d'abord ça : deux mots homophoniques qui se trouvent se faire signe à travers un très grand nombre d'éléments de sens. Quant au départ qui aurait la couleur du champ de blé : je pense que tous les actes de notre vie sont accompagnés d'une sorte d'aura, de chant poétique, avec des représentations visuelles. Les chevaux presque invisibles du char du soleil dans le soleil, dans le tableau de Turner qui déploie le paysage d'Ulysse échappant à Polyphème : on voit se peindre la puissance de la fuite. Il suffit qu'on y fasse attention pour voir se peindre l'accompagnement d'un départ, d'un retour, la couleur du ciel à ce moment-là. C'est-à-dire : la petite figure dans son cube de lumière.

Titre : *La Séparéunion*
NB
écrire//Rompu
J'écris//rompu (La rupture m'est arrivée)

En pièces
(écrire par fragments violents, par éclats.)

Le mot humain

Quant au théâtre de l'humain qui n'est pas une question d'humanisme. Oui, le mot humain revient très souvent chez moi. Je ne vois pas d'autre mot pour parler de cette direction, de ce développement, de ce progrès, de cette croissance, qui se fait ou ne se fait pas, au cours de la durée de notre vie. Après tout, que faisons-nous ? Nous vivons mais nous vivons pourquoi ? Je pense : pour devenir plus humains : plus capables de lire le monde, plus capables de le jouer de toutes les manières. Cela ne veut pas dire plus gentils ni plus humanistes. Je dirais : plus fidèles à ce dont nous sommes faits et à ce que nous pouvons créer. La question que je me suis posée devant l'Histoire et qui traverse tout ce que j'écris, c'est la question du choix que font les êtres entre deux attitudes majeures. Majeures et opposées. L'une qui est de sauvegarde, entretien ; l'autre qui est de destruction.

Je reste dans le même étonnement devant les comportements destructeurs et autodestructeurs. Même si j'ai compris depuis longtemps que les gens qui sont destructeurs et autodestructeurs y trouvent leur compte. Mais qu'est-ce qui fait que les êtres humains trouvent des satisfactions du côté de la destruction ? Il est certain que les gens qui sont dans la destruction y sont *parce que* c'est leur *moyen* de vie. De manière ultime, tout être humain choisit la vie. Choisit la survie, sa propre survie. Parfois, pour survivre, certains pensent qu'il faut tuer l'autre ; parfois, pour survivre, certains pensent qu'il faut absolument sauver l'autre. C'est l'origine de tous les conflits. Le plus souvent les êtres humains choisissent de tuer l'autre. Et c'est un mauvais calcul.

Quand je parle de l'humain c'est peut-être aussi ma façon d'être toujours traversée par le mystère des différences sexuelles. Par cette espèce de double écoute qui est la mienne. J'essaie tout le temps de percevoir,

Le cœur est le sexe humain

de recevoir, des excitations, des vibrations, des signes venant de lieux sexualisés, marqués, différents ; et puis, en un certain lieu — un point à peine, ou bien un point-virgule — la différence laisse place à (mais c'est plutôt que les deux grands courants se mêlent, se jettent l'un dans l'autre, pour n'être que) ce qui nous attend tous : l'humain : c'est ainsi qu'il m'est arrivé de distinguer « le sexe » et « le cœur » ; disant que ce qu'il y a de commun entre les sexes, c'est le cœur. Il y a une parole commune, il y a un discours commun, il y a un univers d'émotions qui est totalement échangeable et qui passe par l'organe du cœur. Le cœur, l'organe le plus mystérieux qui soit, justement parce qu'il est le même pour les deux sexes. Comme si le cœur était le sexe commun aux deux sexes. Le sexe humain.

M.C-G. — Ce que tu appelles « plus humain » est une tentative pour arracher l'humain à l'humanisme, c'est-à-dire à l'anthropomorphisme et à l'anthropocentrisme. C'est l'amour de toutes les espèces.

H.C. — Il faut absolument ne pas lâcher le mot « humain ». Il est si important.

Heureusement que je ne suis pas toujours cet insecte vacillant et grimpant, ou ce poisson qui descend malgré lui malgré moi. Ce sont là des douleurs réservées à l'auteur.

Dans ce monde où je suis née de ma mère, née de mes rêves de ma mère et où je nais encore de ma mère dans sa......... je suis une femme.

Je l'ai toujours dit

En quoi suis-je une femme ?

En ceci (nourrice)

Et en ce que je ne suis pas un homme. Rien ne me paraît aussi étranger qu'un homme.

Mais par contre rien ne m'est aussi proche qu'un être qui écrit, homme ou femme (à cause de l'intérieur). Ce sont des *bêtes*. Tous, tous mes frères et sœurs. Les bêtes, les animaux. Et nous sommes bêtes (Rêves d'animaux)

Disant cela je pleure. Car

le mieux humain

Lorsque je dis « plus humain », je veux dire : en progrès. Je devrais dire : mieux humain. Cela signifie, en effet, tout en étant humain ne pas se priver du reste de l'univers. C'est pouvoir se mettre en écho — travail complexe mais magnifique — avec ce qui constitue l'univers. Je ne dis pas qu'il faille le faire comme un chercheur, comme un savant. Mais je pense que nous ne sommes pas sans un environnement, humain personnalisé, personnel ; et terrestre, urbain, etc. (« politique » — cela vient pour moi après coup). Tous nous sommes hantés par la question de notre mortalité. Et donc hantés par la question de ce que c'est qu'être humain, cette chose qui parle, qui pense, qui aime, qui désire et qui un beau jour s'éteint. Tout le monde, sans cesse, va vers ce terme qui est vécu diversement ; et qui nous ramène à une partie de l'univers qu'en général on méprise : la poussière. Mais la poussière peut être tout à fait autre chose : énergie, mémoire sublime etc...

Être *mieux* humain, c'est aussi cela : ne pas être enfermé dans sa petite durée, dans sa petite maison, dans sa petite voiture, dans son petit sexe, mais savoir qu'on est une partie d'un ensemble qui vaut « le déplacement » — de toutes nos pensées.

M.C-G. — Est-ce que ce « mieux humain » n'est pas lié ici à la vulnérabilité de l'amour ? Dans un des derniers livres, tu parles de la haine ; de ce qu'on cesse de haïr lorsqu'on pense que la personne objet de haine peut mourir. *Déluge* : « Savoir que, un jour, je vais mourir et que lui va mourir un jour suffit à faire tomber mes colères et mes illusions. Avait resurgi la grande tendresse humaine. Nous tous qui sentant mourir arriver nous jetons sur les grands morceaux de viande les plus proches, et nous hâtons de manger de travers. » La vulnérabilité, c'est-à-dire la mortalité rend plus humain à tes yeux : prendre conscience que l'autre est, comme moi, passible d'être poussière, c'est « désarmer ». Prendre du recul, placer les rapports humains dans une perspective moins étriquée ?

La haine = c'est la peste. On *a* la haine. Haine fait mal aux haineux. On hait celui qui nous a « donné » la (maladie) peste.

H.C. — Un petit commentaire sur cette phrase de *Déluge.* Voilà la limite de la haine. La haine aurait une limite ? Comment ça s'expliquerait ? Comment, par exemple, pourrais-je m'arrêter de haïr Hitler ? La personne qui va mourir, sort de ce temps qui aura été, vu par les siècles des siècles — pour ne pas dire l'éternité — un instant, une erreur, une illusion. L'être qui était mauvais et digne de haine, sort de la scène où sa méchanceté était en activité pour passer dans une scène où tout ce qui fait la destruction historique a, tout simplement, disparu. Il y aura un temps où ceux qui ont cru qu'ils étaient des personnes puissantes auront rejoint une humanité éteinte, disparue, dont nous ne savons rien, et ils prendront place parmi le tout-venant. Ils seront un parmi le tout-partant. À la mort, au moment de la mort, cette scène est en train de se produire.

Cela ne veut pas dire qu'il faut pardonner aux criminels de guerre. Il y a de l'impardonnable. Je crois qu'il doit y avoir de l'impardonnable dans l'Histoire des peuples et des États. Mais dans l'ordre personnel et intime, il est bon que la lutte à mort s'éteigne. La mort éteint la mort, certainement. L'amour subsiste dans la mémoire, mais la haine qui est un formidable mouvement défensif, tombe d'elle même... Quant à cette espèce de vision que j'ai souvent de notre époque vue par quelqu'un qui serait hors temps, qui en ferait le tour et verrait donc les limites : elle transforme mon évaluation du monde ou le rapport que j'ai avec les autres. Je me vois toujours comme cette fourmi, cette petite lettre qui se promène dans un livre dont on ne voit pas la fin. Et cette fourmi ou cette petite lettre ne voit pas la fin du livre. Mais quelqu'un qui verrait la fin du livre aurait une autre vie. J'imagine ce quelqu'un...

M.C-G. — D'une certaine manière, pour saisir l'instant présent, il faut tenir la distance. Ce que tente l'écriture. L'écriture est du côté de la vie. C'est ce qui donne force à tes fictions. Sinon, comment serait-on conscient du présent qui est déjà passé ? Ou déjà hypostasié : bloc lointain.

H.C. — Pour vivre, il faut vivre au présent, vivre le présent au présent. En même temps : sensation de faire corps avec tout le temps, toute la substance vivante du temps. Tout fait que nous n'arrivons pas à vivre au présent : c'est dimanche et on pense à vendredi. Les angoisses qui sont maîtresses de la plupart des personnes, font qu'elles ne sont jamais au présent. Elles sont plutôt dans un futur menaçant, dans une projection qui détruit tout autour d'elles et sous leurs pieds ; ou dans le ressassement d'un passé funeste.

M.C-G. — Ce rapport (que tu t'efforces d'avoir) à la temporalité permet d'écrire la mort : la vie de la mort. Parce que dans notre vocabulaire, et notre façon stéréotypée d'entendre les mots, la mort c'est fini, passé. Au contraire, tu ne cesses de raconter les mille morts vécues au présent

H.C. — La mort ça n'est que cela d'ailleurs. Ce que nous pouvons éprouver de la mort, ce ne sont que des allusions à la mort. Ce que nous nous infligeons, nos innombrables suicides et notre façon d'être absolument à côté de notre propre temps ; en avant de nous-mêmes sans avoir vécu ce qui est derrière nous... Certes, arriver à vivre dans l'instant tout le temps, c'est

> Ce que j'ai découvert : comme les morts souffrent pendant la décomposition
>
> Souffrent d'une part...
>
> Et ressassent (*Cf* Hamlet)
>
> leur impuissance.
>
> Ils ne *peuvent* pas le croire tant qu'il leur reste encore de la moelle pour
>
> ne-pas-sentir
>
> ne-pas-pouvoir.

quasiment impossible. Mais on peut vivre très souvent dans l'instant ; c'est une pratique, c'est une nécessité. Peut-être que l'ennemi du présent c'est quelque chose qu'on pourrait appeler l'ambition.

On pourrait aussi l'appeler : volonté de pouvoir, etc. Nous sommes comme la femme du pêcheur qui ne peut jamais habiter sa maison...

Je reconstitue. Un pêcheur pêche un très gros poisson qui lui dit : écoute, si tu me rejettes à l'eau, tu pourras accomplir tes vœux. Alors le pêcheur le rend à l'eau. Il rentre chez lui, il dit à sa femme : voilà, j'ai rejeté un poisson à l'eau; il m'a donné en échange, pour me remercier, cette possibilité. La femme demande aussitôt, puisqu'ils sont dans une cabane, une maison ! Voilà : tout de suite ils ont une maison ! Et puis, une fois qu'ils ont une maison, elle tourne tout autour et elle dit : quand même, j'aurais dû demander un palais... et arrive le palais ! Bon, après, elle devient impératrice du monde, jusqu'à ce qu'elle passe logiquement dans le néant. Cette histoire-là me faisait un effet de terreur quand j'étais petite. Je devais en comprendre les enjeux : cette femme n'habitait jamais dans sa maison. Ce qui est ennuyeux, c'est que cette histoire a l'air misogyne. Alors, changeons ! Disons que ce n'est pas la femme du pêcheur mais le pêcheur lui-même qui... pour pouvoir se servir de cette fable. Le secret de nos éternités : il faut arriver à habiter dans sa maison, à l'intérieur de son temps...

M.C-G. — À l'intérieur du temps de l'écriture...

Rejoindre le temps

H.C. — En ce sens, oui, les pratiques de lecture et d'écriture sont des secours inouïs. Parce que là, dans ce lieu, on s'arrête, on rejoint le temps, il est là, on l'habite, il nous habite.

M.C-G. — On joue avec lui aussi.

H.C. — Oui, sérieusement. Parce que dès qu'on est dans le temps, on s'aperçoit qu'il n'est pas ce qui passe mais ce qui reste, ce qui s'ouvre. Ce qui s'approfondit. Tout cela n'est pas facile. Par définition, nous ne sommes pas doués pour le présent. Puisque dès l'enfance nous commençons à avoir peur de la perte, à ne voir qu'elle, par peur.

Et pour en revenir à l'histoire de l'amour : tu disais donc que tu aimais la personne avec laquelle tu pouvais être vulnérable, c'est ça ?

M.C-G. — Ou qui sait que je suis vulnérable, ou dont je n'ai pas peur qu'elle sache que je suis vulnérable...

H.C. — Devant l'amour on se désarme, et justement on garde la vulnérabilité. Elle ne disparaît pas, mais elle est offerte à l'autre. Avec la personne que nous aimons, nous avons une relation de vulnérabilité absolue. Pourquoi ? D'abord parce que nous pensons qu'elle ne nous fera pas de mal en même temps que nous pensons et nous vivons qu'elle est la seule personne à pouvoir nous faire tout le mal du monde. Par la mort : soit en mourant ; soit en nous tuant c'est-à-dire en nous abandonnant. Mais aussi, et cela c'est le côté enfantin et féerique de l'amour, nous pensons que la personne qui peut nous tuer est celle qui, parce qu'elle nous aime, ne nous tuera pas. Et en même temps, nous (ne) le croyons (pas). En amour nous savons que nous

> C'est le mot aimer qui nous précède et s'échappe
> de nos lèvres...
> Nous vivons, nous dormons, nous rêvons et
> à travers // les lits | pousse l'amour à quatre pétales
> | perce différents.

sommes dans le risque le plus grand et dans le risque le moins grand, *en même temps*.

Ce que nous donne la personne que nous aimons, c'est, d'abord, la mortalité. C'est la première « chose » qu'elle nous donne. Avec la personne que nous n'aimons pas, nous sommes beaucoup moins mortels.

M.C-G — Nous jouons tout le temps à être immortels. Il faut qu'on ait l'air !

La personne que nous aimons nous donne mortalité immortalité

H.C. — Ah mais nous sommes immortels aussi ! Qui nous donne la mortalité nous donne l'immortalité. L'immortalité donnée peut être reprise : on la sent ; mais l'immortalité qui n'est que l'absence de mortalité, nous n'en jouissons pas. C'est l'immortalité inerte, apathique, morte. L'immortalité donnée, nous la sentons, goûtons etc. à chaque instant dans un tremblement et une angoisse de joie.

M.C-G. — C'est la capacité d'émerveillement de l'amour : à cause de la connaissance du plus grand risque, je vis aussi la plus grande tension. Émerveillement à chaque instant renouvelé que l'autre n'utilise pas la vulnérabilité.

H.C. — C'est là qu'on risque sa vie. On ne risque pas sa vie ailleurs : on ne la risque que là.

M.C-G. — En cela, c'est vrai que c'est le plus grand deuil lorsque la vulnérabilité est utilisée par l'autre.

> C'est la faute de ce mot aimer qui
>
> C'est à cause de son innocence, de mon innocence, de mon besoin d'appeler tant d'émotions violemment familières mais violentes et toujours aussi surprenantes...

H.C. — C'est l'irrécupérable. Parce que en amour — sinon il n'y a pas d'amour — tu te donnes, tu te fies, tu te confies à l'autre. Et ce n'est pas du tout, contrairement à ce qu'on pourrait imaginer, abstrait. C'est vrai qu'on se dépose. *Il y a un dépôt*, on est déposé dans l'autre. Et si l'autre s'en va avec le dépôt, véritablement on ne peut récupérer le dépôt. Ce qui a été donné ne peut jamais être repris. Même si nous ne le savons pas au moment où nous donnons ; même si nous n'imaginons pas que ce que nous avons donné ne peut pas être repris — alors que la plupart des choses qu'on donne peuvent être reprises. Donc, en réalité, virtuellement, quand nous aimons nous sommes déjà à moitié mort. Nous avons déjà déposé, entre les mains de qui détient notre mort, notre vie : et c'est ce qui vaut la peine d'amour. C'est à ce moment-là qu'on sent sa vie, sinon on ne la sent pas.

C'est un tour extraordinaire : ce que tu donnes, c'est-à-dire toi-même, ta vie, ce que tu déposes dans l'autre, l'autre te le rend aussitôt. L'autre est constitué en source. Tu n'es pas ta propre source en ce cas-là. Et du coup, tu reçois ta vie, que tu ne reçois pas de toi-même.

M.C-G. — On en revient à *l'échappée belle*. Tu disais : écrire ce n'est pas réduire le deuil. Avec l'oxymore deuil et joie c'est dans l'entre que tout se joue, c'est le *et* qui importe car les deux pôles restent en présence ; l'un ne réduit pas l'autre. Il n'y a ni dépassement ni pardon. Il y a risque, chance et perte. C'est *l'échappée belle*, elle touche à la fois la question de l'amour et la question de l'écriture qui sont du même ordre car tous les risques s'y prennent. L'échappée belle ne va pas sans menace. Cela relance le désir : désir de l'autre et désir d'écriture. Parce qu'il y a maintien de l'entre, ambiguïté.

Un exemple : la dernière phrase de *Déluge*. Il y a la voix-personnage d'Ascension, l'étoile filante, une métaphore et pour finir : « Elle va bien tomber ». Ce qui s'entend de façon double, au moins : elle va *bien* tomber : ce sera bien, juste, à point nommé. Mais aussi : elle va finir par tomber ; la chute sera inévitable. Et cela s'inscrit au point exact de la fin du texte, qu'on appelle en poésie la « chute »... ou la « pointe » Et dit aussi que la fin nous échappe. Voilà pour moi, la notation de *l'échappée belle* : à la fois chute donc perte, et bénéfice.

H.C. — J'aime bien ce « bien ». L'adverbe. Ce petit mot. C'est tout en même temps. L'équivoque.

M.C-G. — Une écriture-échappée-belle : je te lis ainsi. Une écriture qui n'est pas maîtrise mais — comme dans la belle formule à l'endroit de Clarice — qui « se laisse aller » : « [...] toutes les expressions avec *laisser*, voilà la signature (celle de Clarice). C'est une personne qui le plus souvent se laisse aller. Et elle va. » (*Déluge*, p.216).

Le verbe « se laisser » signature de l'écrivain. J'aimerais que tu explicites cela : que la signature n'est pas la marque d'une propriété, que c'est laisser une trace, un dépôt de soi, se déposer — on retrouve les mots qui disent amour. Mais pour autant la non maîtrise n'est pas la passivité. « Se laisser aller. Et elle va » : c'est une manière autre d'« aller ».

H.C. — Tu dis très bien les choses, alors je vais accompagner. L'écriture n'est pas une maîtrise, est quand même —car il ne faut pas non plus susciter des malentendus —l'exercice d'une virtuosité mais qui n'est pas artificielle, qui est organique. Il y a un rapport à la langue tel, que tous les filons, toutes les veines de la langue, toutes les couches, toutes les résonances sont en activité, sont en tension.

Au milieu de la langue

Je pense qu'on ne peut pas écrire sans avoir bénéficié dans l'enfance d'un don de langue. Sans se trouver possesseur d'un instrument linguistique extrêmement développé qui précède l'acte d'écriture. Cela il faut le dire : il y a une origine de cet art, une grâce inexplicable qui fait qu'on n'est pas

> Et toujours l'œuvre secret du mot (*cf* Amour) — les mots qui travaillent dans le jardin de nos pensées-fantasmes-désirs etc...
> Et qui ourdissent par-dessus le marché

condamné et enchaîné à l'usage linéaire, univoque, réduit de la langue ; mais que, tout de suite, on est déjà dans ce milieu : on est au milieu de la langue. On est dans ce milieu et on sait en jouer. C'est une affaire à la fois de savoir linguistique, d'apprentissage, d'oreille, etc... C'est comme si on savait jouer de la langue comme d'un instrument de musique, lequel serait composé d'une quantité d'instruments de musique. Et vient, sans qu'il y ait à faire un effort excessif, aux

> Le mot innocent est innocent — nos sangs noces noçant...

lèvres, aux doigts, déjà tout un courant d'expressions, de phrases pleines, riches, porteuses de sens pluriel, joueuses... Mais sans maîtrise. À la place de la maîtrise, une aptitude qui a été reçue et qui n'a pas été perdue.

Ce qui n'a pas été perdu : c'est aussi l'exercice d'une liberté. La liberté, on ne sait plus ce que ça veut dire : on éprouve que la liberté trouve sa limite dans les autres, que les autres nous interdisent etc.— ce qui est vrai. Mais aussi, nous intériorisons les interdits et nous nous supprimons à nous-mêmes les propres libertés. Nous sommes nos propres censeurs, nos propres correcteurs, nos propres maîtres. Alors que le comble de l'écriture, le paroxysme se produit quand on se laisse soi-même en liberté ; quand on ne se maîtrise pas. Quand on fait confiance à ce qui n'est pas connaissable : à l'inconnu en nous qui va se manifester. C'est là quelque chose de si étrange qu'il me semble toujours qu'il est presque illégal d'en parler. C'est le secret du *pouvoir-écrire*. Il y a ceux qui ont envie d'écrire et ne peuvent pas. Freinent. Ils ont affaire à eux-mêmes, il y a un étranger qui les habite, les inhibe, les contre.

Se laisser soi-même en liberté

Donc, il faut se laisser aller. Il faut ne pas avoir peur parce que, quand on se met en écrire, ou qu'on se met à écrire, on se met en chemin, sans frein, sans mors, etc. il va se produire ce phénomène qui reste toujours inquiétant : la manifestation d'une force s'exprimant beaucoup plus puissamment et plus rapidement que nous-mêmes. C'est inquiétant parce que cela s'accompagne d'affects contradictoires. Des affects de jubilation, parce que c'est

> Le gris soie du contre temps
> Le gris trouble du temps
> Grief.

comme un cadeau. Des affects d'inquiétude, parce qu'on n'est pas maître de cette écriture qui galope bien en avant de nous-même et qu'on tend à s'en méfier. Se dire qu'elle est totalement légère, insignifiante puisque après tout on ne la connaît pas. Ou peut-être qu'elle est folle parce qu'on ne la contrôle pas. Ça fait peur. Il faut pouvoir : se laisser faire le chemin ; ne pas s'interdire. Il faut se fier à : c'est-à-dire être dans une sorte de passivité, de confiance. Et aussi se laisser aller à aller trop loin. À aller trop loin de toutes façons.

Ce qui n'est pas juste — car ce n'est pas juste qu'il y en ait qui écrivent et d'autres pas — c'est cette question de *la confiance originaire*. Parce qu'elle a été quand même permise ou inscrite par quelque chose ou quelqu'un de secret, que nous ignorons. Qu'est-ce qui fait qu'on ose ? *Qui* fait ? Voilà une scène mystérieuse. Quoi de juste ? Il y a la chance, qui vient de l'autre.

M.C-G. — C'est culturel en partie.

se dépasser: être plus fort
moins fort que soi

plus rapide
plus lent que soi

H.C. — Sans doute, ça commence par cela. En particulier pour les femmes. S'il y a si peu de femmes qui ont écrit, c'est pour cela. Quelqu'un, « la chance », ne leur a pas voulu de bien. Et puis après, c'est singulier, c'est accidentel. Question de rencontres, de famille, c'est infini. Parfois il suffit de peu de choses ou d'une personne pour que quelqu'un écrive ou n'écrive pas.

M.C-G. — Ce sont les pages que j'aime particulièrement : celles qui écrivent (du) le débordement de l'écriture. Qui font non pas une réflexion, mais le récit du débordement de l'écriture — et passent par des formules inorthodoxes : « elle galope, elle me galope » dis-tu de cet écrire-galoper. Il y a donc course, force inouïe. Et en même temps, le sentiment de ne pas aller assez vite, assez fort. L'écriture n'arrive pas à écrire l'éclair.

Autre débordement contradictoire qui donne à l'écriture quelque chose de miraculeux : le galop et non moins la vigilance lisible du travail. Ça galope, et malgré tout, quelque part tu tiens les rênes. Te laisses aller et vas aussi ton chemin.

H.C. — Avec quoi part-on écrire — quand on est petit, quand on commence ? On part avec un certain nombre d'aptitudes. D'abord, avec le fait qu'on a été jeté dans la langue et qu'on sait nager dans la langue. Ensuite, avec des aptitudes athlétiques. L'écriture est un effort physique, on ne le dit pas assez. On fait la course avec le cheval c'est-à-dire avec la pensée dans sa production. Ce n'est pas une pensée exprimée, mathématiquement, c'est un sillage d'images. Et après tout, l'écriture n'est que le scribe qui vient derrière, et qui a intérêt à aller le plus vite possible. Pour aller vite — et je suis sûre qu'il faut aller très vite, ce qui ne veut pas dire qu'il faut écrire n'importe quoi, au contraire — il faut rivaliser de force et d'intelligence avec une force plus forte que nous.

> Le mot grief
> comble
> cinglé
> Voilà les mots qui
> (*soufflent*)... ce texte

Et là, le corps a aussi son mot à dire. C'est très épuisant d'écrire. C'est un exercice de haute vitesse. Je ne me permets pas d'écrire si je ne suis pas « en pleine forme ». Si je n'ai pas à ma disposition toutes mes forces, j'écrirais, bien sûr, mais un peu moins, un peu en-dessous. Comment faisait Kafka ? Comment faisait-il avec la fièvre qui le rongeait, la faiblesse... Mais peut-être, la fièvre est-elle finalement une sorte d'intensité supérieure, de drogue qui attise au lieu d'éteindre ? Mais je pense plutôt que ça éteint. D'où mon interrogation endeuillée : s'il n'avait pas eu à souffrir d'un tel état de corps, n'aurait-il pas écrit encore plus vite, plus haut, plus fort... ?

> *La position d'écriture*
>
> La position initiale, c'est un *se laisser aller*, se laisser couler au fond du maintenant. Ça suppose une croyance inconsciente en quelque chose, une force et une matérialité qui va venir, se manifester, une mer, un courant qui est toujours là, qui va se lever et me porter. C'est très physique.
> Quand je commence à écrire, c'est ça, c'est physique. C'est la même chose pour Clarice Lispector.
> Quant à la lecture : j'éprouve la lecture comme un faire l'amour, l'élément fort de la lecture, c'est le « *se laisser lire* », être lu par le texte.

Il faut une passivité, comme toujours, active. La passivité, c'est le secret : ou bien c'est la passivité de la bête abrutie ; ou au contraire c'est une façon de se prêter à une activité supérieure ; c'est une activité paradoxale.

M.C-G. — Je note, oui, des paradoxes et des convergences. D'une part, l'activité d'écriture advient au plus profond : mais tu soulignes aussi le minutieux travail des corrections sur la page. Je me demande : comment se fait l'intervention concrète ? Je t'imagine la plume courant très vite, mais cette vision est arrêtée dès que je pense ratures et surcharges.

D'autre part, la langue qu'un infime signe de ponctuation peut renverser. Il y a davantage que de l'écriture écrite : viennent jouer avec/sur/contre la lettre, les inflexions d'une voix à plusieurs modulations ; les accents de la phrase qui varient selon les fluctuations de la syntaxe et de la ponctuation grammaticale. On voit à l'œuvre une double utilisation de ces éléments, simultanément et aux limites de chacun. Les écrivains souvent choisissent : plutôt l'un, plutôt l'autre, font une sorte de partage. Ton écriture au contraire dispose une relève, relance l'une par l'autre, la voix par la lettre, et vice versa. On a sous les yeux, dans l'oreille, le discours en train de devenir voix, devenir parole : domine l'impression d'une pensée en mouvement. Du texte en mouvement.

Il y a, à tous les sens, une écriture *en travail* : travail du corps en écriture, travail d'une/des mémoire/s, travail de la différence sexuelle, travail *du genre*. Autant de partis pris de l'écriture qu'il faudrait interroger.

ma pensée appliquée

H.C. — Je pense que — même si le mot « pensée » me gêne — je commence par penser. Mais qu'est-ce que ça veut dire ? (le mot penser, je l'utilise, il « pense » pour moi). Je ne commence pas par écrire. Mais lorsque je commence à penser, c'est toujours appliqué à. C'est : *ma pensée appliquée*, ce que je considère comme un travail de réflexion, de méditation, appliqué à quelque chose qui se présente à moi comme inconnu et comme mystérieux. Et quand je disais, le matériau est là : il est tous les jours. L'inconnu et le mystérieux c'est — à l'exemple de *Déluge* — les étranges manifestations, scènes, affects etc... qui entourent un moment. Un événement endeuillant, par exemple, ou un transport. Prenons le phénomène des larmes. C'est presque

> Penser profondément
> Attendre
> D'où nous vient cette pensée : du corps
> C'est le lieu qui écrit
>
> ---
>
> Comment ça s'appelle
> Suivre le cours : du sang
> du vent etc.

l'origine de la science : j'observe un phénomène. Sauf que c'est un phénomène humain. Je suis surprise, d'abord, par le phénomène des larmes. *A priori*, je n'ai rien à en dire, je ne peux qu' observer. Je fais des observations et, évidemment, ce qui attire mon attention c'est l'extraordinaire de la manifestation : les flots de larmes ; le fait qu'il n'y a pas de logique apparente entre un versement de larmes et tel événement. Je me souviens d'une vieille amie qui venait de perdre son mari (un homme que j'aimais infiniment). Et elle me disait, l'air tout étonné : tu sais, au coin du boulevard Jourdan et de la rue Deutsch de la Meurthe, tout d'un coup, je me mets à pleurer. Eh bien, c'est de cela qu'il s'agit : cela se passe très exactement au coin, à l'angle. Elle-même ne se comprenait pas. Elle aurait pu pleurer devant une photo. Non. C'était là, de manière précise, inexplicable. Et moi, c'est là que je commence à travailler : là où ça ne s'explique pas ; et où il s'agit d'un heur, bonheur, ou malheur, qui surgit dans notre for intérieur, il s'agit d'un heurt intime. Je ne travaille pas sur l'insignifiance : le versement de larmes est un mystère à travers toute notre vie. Nous ne savons pas pourquoi nous pleurons, quand nous pleurons, combien nous pleurons. Les larmes ne sont pas en rapport direct avec la cause apparente, etc. Qui pleure ? Qui pleuré-je ? Qui me fait pleurer ? Comment ça pleure, ça jouit, ça déborde, ça indique une source sexuée, quel rapport entre ces fluides et la mort ? Quel rapport à la différence sexuelle qui est une différence partiellement culturelle ? Les Romains avaient des lacrimoires. Il y a aussi une culture de la larme.

Pourquoi en ce lieu ? en ce moment ?
Larmes = appel larmes : voile sur la représentation
On perd toujours l'enfant. L'enfant-moi
Larmes = fonte de mots.
Machine à vapeur = on lâche des larmes
Rapport humide et sec / larmes et paroles.

En fait, nous ne savons pas : et pourtant, c'est une production de notre corps. C'est à partir de là que je commence à travailler. Je remonte les larmes. Quand je commence à écrire, c'est toujours à partir de quelque chose d'inexpliqué, de mystérieux et de concret. Quelque chose qui se produit là. Je pourrais être indifférente à ces phénomènes ; mais en fait je pense que ce sont les seuls phénomènes importants. Cela commence à chercher en moi. Et ce questionnement pourrait être philosophique : mais pour moi, il prend tout de suite le chemin poétique. C'est-à-dire qu'il passe par des scènes, des

Larmes
Ce sont les femmes qui pleurent
la jouissance — larmes
— on ne les distingue pas du nombre

associations
pluie, C.L.
Quelque chose est -f. et monde qui est en continuité — et qui est de l'ordre du couler, du répandre, du verser, de l'épancher.

C'est du lait salé.

Si nous nous y livrons c'est que c'est une réponse
Résistance au deuil
— Pleurs de douleur
On répondait à la perte par un flot, une libation
quelque chose qu'on donne à boire à personne

moments, des illustrations vécues, par moi ou par d'autres, et comme tout ce qui appartient au courant de vie, cela traverse énormément de zones de nos histoires. Ces moments je les saisis encore tremblants, mouillés, plissés, défigurés, balbultiants. Lorsque j'écris un livre, la seule chose qui me guide au début, c'est une alarme. Non pas une larme mais une alarme. La chose qui m'a alarmée à la fois par sa violence et par son étrangeté.

Pas une larme mais une alarme

Vient, ensuite, le secours de l'écriture. C'est comme si j'essayais de faire le portrait verbal de ce phénomène concret, et physique et spirituel. Qu'est-ce que je fais ? J'écoute ce phénomène, je l'écoute avec les yeux, avec des organes que je ne connais pas, qui sont en moi. Et puis l'activité d'écriture essaie de transposer ce que je perçois. C'est là que vont intervenir les corrections : parfois, j'ai le sentiment de comprendre quelque chose par éclairs, par éblouissements ; et comme ça va extrêmement vite, toujours, comme les moments de révélation sont des moments qui s'allument et s'éteignent, je note à

Niobé
pleurer = c'est un appel — c'est un acte de foi.
On se livre, on *admet* la douleur, on ne se durcit pas, on ne se pétrifie pas pour empêcher la douleur de rentrer...

toute allure, télégraphiquement, sur des bouts de papier, ce que je viens de comprendre et qui va, tout de suite, disparaître. Et cela va me servir d'étayage pour avancer. Mais quand je commence à approfondir, c'est-à-dire à peindre le tableau des larmes, il m'arrive de sentir que je n'ai pas peint juste ; de sentir que je ne reconnais pas, dans ce qui vient de s'écrire, la vibration, la vérité, la musique de la chose que j'ai aperçue. Et je sais que c'est une défaillance ; c'est un *moins* dans la langue. C'est la machine qui n'a pas bien fait son travail. Qui ne m'a pas fourni tout de suite l'expression, le mot, la phrase ou le rythme qui aurait été le plus proche possible de cette expérience. Et je le sens très bien.

M.C-G. — Se passe-t-il beaucoup de temps entre ces moments de l'écriture ? D'abord il y a une phase d'écriture sous fiévreuse intensité, ensuite une activité qui requiert la distance de la lecture. Il n'est pas facile d'éviter la complaisance envers l'expression de premier jet. De garder, dans la fièvre, la tête froide.

H.C. — Je sens tout de suite que c'est faux... pas faux sur le mode du mensonge... mais c'est à côté. Je corrige tout de suite.

M.C-G. — Ça ne sonne pas juste ?

H.C. — C'est à côté. La flèche est partie et elle a tapé à un centimètre de la cible. Donc, je corrige tout de suite. Mais je peux corriger longuement. Tout de suite : qu'est-ce que ça veut dire ? Il y a des rythmes que je ne commande pas. Ce sont des séquences. Probablement des séquences organiques. Ça doit correspondre, en quantité, à une demi-page ou une page. Mais ce sont en réalité des séquences d'enregistrement de la chose que je poursuis. Et ce n'est pas la peine que je continue si je ne suis pas là où il faut être. Si je commence à emprunter un chemin qui est en dessous, je n'y arriverai jamais. Cela c'est, disons, la correction en cours de route. Selon une boussole : on rectifie sans arrêt. Les coupures interviennent beaucoup plus tard : comme j'ajuste sans arrêt — je me rapproche sans cesse — parfois je laisse du « brouillon ». Je laisse traces des ajustements qui ne sont pas nécessaires. Et je les coupe quand j'arrive à relire.

M.C-G. — Intervient aussi le travail d'architecture de l'ensemble. Tous tes livres sont... je ne dirais pas organisés, mais agencés. Montés selon des sous-titres, des scansions.

H.C. — Mais les sous-titres, en réalité — parce que ce ne sont pas des titres effectivement (rires) — sont les graines, justement, les germes à partir de quoi quelque chose s'est rassemblé et m'a permis d'avancer.

Les sous-titres ce sont les graines

M.C-G. — Ce ne sont pas des noms que tu donnes « après » ?

> J'écris à quatre pattes
> dans le noir.
> J'écris sous terre.

H.C. — Non, en cours de route. Je suis en quête et il y a des étapes — que je vois très nettement ; pas à l'avance, au fur et à mesure, elles se déroulent. Elles ont des titres étranges parce que ce sont des étapes sur la route de l'étrangeté.

M.C-G. — C'est cette écriture « télégraphiée », en course, qui fait que le discours est obligé de sortir de ses gonds. Il y a le rythme de la voix, le rythme cardiaque qui d'une certaine manière s'en va combattre le discours organisé.

H.C. — Du discours organisé je ne peux pas me servir. Bien sûr, ce que je fais, c'est quand même grammatical, mais la langue de tous les jours n'est pas bonne pour ça. Elle est même mauvaise pour ça. C'est bien *parce qu*'il y a cette langue de tous les jours, qui est utile, que, trop souvent, on ne va pas plus loin que tous les jours — alors qu'il faut aller à l'éternité.

> Nos dialogues sont souvent muets.
> Cela n'empêche pas qu'ils aient cours.

Quant à la voix : je travaille à quelque chose qui à moi-même reste mystérieux : c'est-à-dire la part musique de la langue. J'ai besoin du chant, de la musicalité de la langue comme d'une confirmation. Un paragraphe qui ne serait pas musical serait pour moi signe que je n'ai pas ajusté. La musique et le sens sont absolument indissociables. J'ai l'impression que la vérité chante juste. Va chanter. Et elle chante, en plus. Mais cela c'est le mystère. Pourquoi aimons-nous la musique qui est sans paroles ?

La vérité chante juste

Parce qu'elle nous tient certains discours qui passent par le ventre, par les entrailles, par la poitrine. Je ne sais pas par où entre la musique. Et elle joue sa propre partition sur notre propre corps. Et nous répondons de tout notre corps parce que c'est *juste*. Tout le monde. Il y a une sorte d'universalité, inouïe, sublime, de la musique. Une partie de mon travail prend source dans le même matériau. Le matériau sonore. Écrire c'est noter la musique du monde, la musique du corps, la musique du temps.

M.C-G. — J'ai l'impression que ça bat la mesure, ça bat le temps. Plusieurs impératifs jouent : la mémoire de l'écriture, ses microsignes ; mais aussi comme une rythmique qui marque le tempo.

H.C. — Qui n'est pas régulier ; qui joue ces différences. Il y a des phrases qui ont besoin d'avoir la densité et la brièveté d'un caillou... C'est variable. Et c'est en rapport avec le signifié. Ce n'est jamais dissocié. Il y a un message non verbal, et pourtant il évoque. Le violoncelle est l'instrument qui est le plus proche dans sa qualité de la voix humaine. Eh bien, l'écriture c'est la même chose : il y a des violoncelles, il y a des hautbois. Il y a les voix. L'écriture écrit en quatuors, en octuors.

Téléphone — musique — voix
Ce qui me fait pleurer — écouter

Pénétration sans violence
Intimité, pas de dehors

M.C-G. — Écrire relève du souffle, de la respiration. C'est aussi une écriture en effets : elle produit, et se produit selon les effets advenant en cours de réalisation. Pas par calculs préliminaires ni choix de formes prédéterminées.

H.C. — C'est cette musique qui n'est pas notée musicalement mais qui est dans la langue, qui produit en nous des soulèvements, des humeurs, des faims, des naissances. Si j'étais en danger de mort et que j'entendais une certaine musique, je ne pourrais pas mourir. La grande question : il faudrait que je puisse, quand je suis en danger de mort, aller chercher cette musique et l'entendre. C'est là le paradoxe !

Voix qui transporte : (*cf.* Tancredi)
À cheval sur la voix, je prends la voix.
Être transportée *sur le dos* d'un corps — sans voir le visage de la force charnelle.
devenir indien

M.C-G. — C'est avec la même écoute c'est-à-dire avec cette

musique, que tu fais travailler dans la langue la différence sexuelle et les genres ?

H.C. — Puisque la différence constitue la musique, oui. Le son c'est une différence, n'est-ce pas ? C'est le frottement des notes entre deux gouttes d'eau, le souffle entre la note et le silence, le bruit de la pensée. Je pense que la différence sexuelle, on la perçoit, on la reçoit et on en jouit de la même manière : comme rapports entre des sons venant d'instruments différents mais qui s'accordent, bien sûr. La musique est aussi une différence sexuelle.

M.C-G. — J'ai à l'esprit une variation que tu fais sur « la pierre qui vole » : la pierre devient Pierre, prénom, puis poussant jusqu'au bout la logique et la musique du différentiel : « *Pierre Vole* volerait et atteindrait son but secret, tout le monde recevrait une pierre ou un autre, l'essentiel c'est que « pierre » volerait, il ou elle, venant d'un il ou d'une elle, ou d'une île ou d'un el » (*Déluge*, p.196).

C'est à la fois l'inscription du genre et la variation au plus près qui, déplaçant une lettre, un souffle, renverse syntaxe, lexique, significations.

Copiant la réalité

H.C. — En copiant la réalité : la réalité vivante, non refoulée. Si l'on pouvait radio-photo-éco-graphier, je ne sais par quel moyen extraordinaire, un temps, une rencontre entre deux personnes de quelque sexe que ce soit ; et si on pouvait conserver les rayonnements de cette rencontre dans une sphère, transparente, et puis écouter ce qui se produit supplémentairement à l'échange repérable dans le dialogue — c'est ce que l'écriture essaie de faire : le compte rendu de ces événements invisibles — on entendrait la rumeur d'une quantité de messages qui s'expriment autrement. Les regards, la tension du corps, les continuités, les discontinuités, enfin ce vaste matériel qui est porteur, parfois, de signes qui contredisent le message contenu dans le dialogue proprement dit. C'est l'art de l'écriture ou bien encore l'art du théâtre que de savoir faire ainsi surgir, au coin des phrases, par des silences, par des mots muets, tout ce qui n'aura pas été prononcé mais qui aura été énoncé par d'autres moyens que la parole — et qui peut être, ensuite, pris dans la toile de l'écriture.

Voix millénaire, voix venue d'ailleurs (voix très rares). Ennemies de la voix : les fausses voix, voix d'emprunt, voix d'actualité.

Téléphone, par exemple : on ne pourra plus jamais imaginer l'amour sans le téléphone. Comment faisait-on « avant » pour se faire tout l'amour le plus fin, le plus intime, le plus délicat, délicatement aimant ? L'amour a toujours besoin de téléphone : ce passage de la voix la plus nue, voix réelle et sublime directement jusqu'à l'oreille du cœur, sans transition, jamais la voix n'ose être aussi nue qu'au téléphone. Ce que je ne peux te dire dans la pleine lumière de la présence, je peux te le dire dans la nuit commune du téléphone.

Que te dis-je au téléphone ? Je te donne la musique, je te fais entendre le chant originaire. L'amour aime retourner, ramener à l'origine, commencer à aimer à partir du premier instant, l'amour veut tout à aimer, veut aimer l'autre depuis le ventre maternel.

> Téléphone | est le loin près
> c'|est le dehorsdedans
> = rapport qu'une | (mère) femme enceinte a à son enfant
> | mère a à l'enfant utérin
>
> Ne peut pas être plus près, ne peut pas être plus loin. D'une certaine manière c'est ça la définition de la relation mère-enfant surtout mère-fille : on ne peut pas imaginer plus près de plus loin (plus semblable de plus étrange).

La voix est ce qui dans la personne prend sa source au plus ancien.

Au téléphone — d'amour, c'est la racine même qui parle.

Au téléphone j'entends ton souffle, — tous tes souffles qui soupirent entre les mots et autour des mots. Sans téléphone, pas de souffle.

Au téléphone, tu me souffles. Les amis se parlent par téléphone. Le loin dans le près. Le dehors dans le dedans. Le téléphone est l'imitation de l'aspiration amoureuse à être l'un dans l'autre. Voilà pourquoi on aime tellement le fil du téléphone : c'est notre cordon ombilical. C'est notre trachée.

Les âmes font l'amour par les minces canaux intérieurs, par les gorges, par les artères.

Les voix qui nous touchent le plus puissamment sont les voix venues nues encore, voix d'avant la porte du Paradis, du temps où l'on ne connaissait ni honte ni peur. Le téléphone dévêt. Grâce au Téléphone — on s'appelle, nous nous appelons, sans violence. De très loin, nous lançons l'appel le plus retenu, le plus murmuré.

Outre-passer

M.C-G. — La voix lancée sur l'absence, sur la distance-différence de toi à moi, c'est donc la voix du cœur par excellence ? Cette voix téléphonée, lieu d'une possible communauté, parce qu' elle a désarmé et nommé le passage « de vous à moi » pourra être l'espace d'une rencontre pour les deux sexes ? Le lieu de leur comme-union : celui-là même de tes textes travaillés par la logique différentielle de la différence sexuelle.

Pythie / Apollon — ombilic
première standardiste

Tu as dit parfois, et écrit : « Nous sommes tous bisexuels. Qu'avons-nous fait de notre bisexualité ? » Pour ne pas aplatir la question, il faut la lier à celle du « neutre ». Le terme est attaché d'abord au beau roman que tu publies en 1972. Le titre en couverture est une sorte de provocation : *Neutre. Roman.* Où la coexistence des termes arrache la théorie à la théorie et met le roman sous rature. À l'intérieur, le trésor des textes qui s'assemblent et le frayage entre eux mis en œuvre, conjugant prose-poésie-philosophie, montrent que « neutre » est tout le contraire de neutralisation. On se trouve dans « le pays de la Phénixie » où l'on ne cesse de naître et renaître de ses cendres — avec la magie d'une écriture qui met en relief potentialités et facultés multiples. Neutre qui n'est ni l'un ni l'autre, ni un ni deux, est en fait toujours plus : *un plus.* Au sens où tu écris, dans *Déluge* : « Moi, j'étais le passage, j'étais l'air. » Neutre : ce qui est en amont, permet la différenciation, la différence sexuelle. En différer est inscrire autre chose. C'est le sujet qui couve sous la cendre... Je rassemble ces éléments pris à différentes époques de ton œuvre, parce que le neutre donne la possibilité que le texte soit *en travail :* en gestation. Qu'il puisse faire ni une ni deux — passer outre. *Outre-passer*. Ce terme est de ton registre, c'est une de tes pratiques favorites en écriture. *L'outre* est le titre de la nouvelle qui ouvre *Prénom de Dieu*. C'est ainsi que j'entends dans les textes la question de la différenciation, ou du différentiel.

H.C. — Je ne vois pas ce que je pourrais dire de mieux (rires). Reste seulement à faire écho. Par exemple, sur les restes d'écriture que je perçois à partir des citations que tu fais, toi-même, de mes propres textes. Donc une sorte de chemin : le mot « bisexuel » n'appartient pas, je crois, à mon univers d'écriture, mais il est en provenance d'une langue d'époque. C'était l'époque où on réagissait à l'existence

Bi : deux — seulement ??
Pourquoi pas *tous* les deux
et les entre/s

d'un mouvement de femmes ou de manifestations féministes, un peu dans tous les lieux de discours. Il y eut par exemple un numéro de la revue *Psychanalyse* sur la bisexualité. Les femmes s'interrogeaient ou les femmes interrogeaient les autres sur l'existence ou la valeur de ce qui s'appellerait bisexualité. Il y avait aussi le concept d'androgynie qui circulait. Alors viennent ces mots dans un texte qui appartient à ce champ à densité théorique plutôt qu'à l'écriture. Si ce terme-là, qui est tellement daté donc tellement désuet, avait fait apparition dans le champ de l'écriture, je m'en serais moquée je l'aurais joué : je l'aurais retourné dans tous les sens, j'aurais fait apparaître sa connotation, son poids d'actualité, donc déjà son côté périmé. Mais quand même, s'il en a été question c'est bien que, à l'époque —car c'est vraiment du passé : pour moi du moins — j'avais affaire à des manifestations, des effets d'opposition sexuelle très violents, à quoi répondait d'ailleurs, en défaisant l'opposition, tout le texte de Derrida.

Quant à *Neutre,* à la question du neutre c'est-à-dire *ne-uter* : ni l'un ni l'autre, tu as bien fait d'entendre qu'évidemment je ne veux pas le garder dans un emploi qui serait marqué par du négatif et donc par de l'exclusion de réalité — ni ci ni ça, alors quoi ? D'une certaine manière, je n'aime pas ce mot. Il est riche en possibilités signifiantes, c'est pour ça que je m'en suis servie mais je ne pourrais pas m'en contenter. Dans le texte que j'ai oublié très largement, je me souviens qu'un des thèmes que j'avais essayé de traiter c'était la difficulté de définir la « nature » humaine. Dans notre vie accidentée d'êtres humains, une des premières questions qui vient heurter notre destin c'est : jusqu'où peut-on appeler humaine la nature humaine. Qu'est-ce qui est dit légitimement « humain » dans les champs éthique, biologique, juridique etc... Dans *Neutre*, l'interrogation était engendrée par l'anomalie. Prenons l'exemple des mutations chromosomiques. Qu'est-ce que c'est un être qui a un chromosome en plus ? Ou qui, génétiquement, n'est pas précisément adéquat au code génétique ? Est-ce que c'est encore humain ? Voilà que la question se déplace à l'infini ; c'est qu'on ne peut pas définir, finir, fermer, clore la définition humaine — pas plus que la définition sexuelle. De tous côtés il y a des points de fuite, des points de communication, des points de plus et de moins. C'est nous, avec notre langage, qui faisons clôture. Je me souviens d'avoir entendu la phrase suivante : un mongolien c'est un végétal, tout au plus un animal. On peut se

Ce n'est pas le mouvement de dépistage — (il s'agit de perdre le lecteur).
C'est le mouvement "vers l'extrême-orient"
cf : Ingeborg. Grosse Landschaft bei Wien
"Asiens Atem ist jenseits"
Le souffle de l'Asie est | là-bas
| par-delà

demander ce que ça veut dire. Cette phrase était l'énoncé d'un sujet médecin. C'est nous, avec notre langage qui faisons loi. Nous qui dessinons les frontières et qui produisons l'exclusion. Nous qui accordons. Nous qui sommes les douaniers de la communication : nous admettons ou nous rejetons. Une des racines de *Neutre* était une réflexion sur le destin du mystère « humain » — mystère réglé, la plupart du temps, violemment. Car, comme les êtres humains ordinaires n'aiment pas le mystère parce qu'on ne peut pas lui passer la bride au cou, en général ils l'excluent, ils le refoulent, il l'éliminent — et c'est *réglé*. Mais si au contraire on reste ouvert et sensible à tous les phénomènes de débordement, à commencer par les phénomènes naturels, alors l'on découvre l'immense paysage de la *trans-*, du passage. Ce qui ne veut pas dire que tout va être à la dérive : notre pensée, nos choix etc. Mais cela veut dire que le facteur d'instabilité, le facteur d'incertitude ou ce que Derrida appelle *l'indécidable*, est indissociable de la vie humaine. Cela devrait nous obliger à une attitude à la fois rigoureuse et tolérante et doublement telle des deux côtés : d'autant plus rigoureuse qu'ouverte ; d'autant plus exigeante que devant donner lieu à l'ouverture, laisser passer ; d'autant plus mobile et rapide que le sol se dérobera toujours, toujours. Pensée qui entraîne ce qui est l'élément de l'écriture : la nécessité de n'être citoyen que d'un pays ou d'un sol extrêmement inappropriable, non maîtrisable.

Pas de jouissance sans différence

A cette époque-là, donc, l'accent a été porté sur la question de la sexualité dans la mesure où elle était disputée. Dire que je crois à la différence sexuelle est un énoncé qui a pris, avec les décades qui se sont écoulées, une sorte de valeur politique, d'autorité d'autant plus insistante qu'elle est déniée par énormément de gens. Mais croire à la différence sexuelle c'est savoir que la différence c'est le différentiel. C'est justement — et c'est merveilleux — qu'il ne peut y avoir de différence que s'il y a au moins deux sources. Et que la différence est un mouvement. C'est toujours entre les deux qu'elle (se) passe. Et quand il y a opposition, chose affreuse mais qui existe, il n'y a que du un : c'est-à-dire rien. Alors croire à la différence sexuelle ça revient un peu à ce qu'on disait tout à l'heure. Mais cette fois-ci, ce n'est pas le bord extérieur qui est en question. Dans le cas des anomalies chromosomiques, on est au bord, à la limite de la nature humaine ; alors vient la question : jusqu'où ? La différence sexuelle, c'est « le milieu ». Ça se développe, vit, respire entre deux personnes. Ce qui est enivrant, ce qui peut être inquiétant, difficile — c'est qu'elle n'est pas le troisième terme, elle n'est pas un bloc entre deux blocs : elle est l'échange même. Et comme elle passe de l'un à l'autre, elle est insaisissable, même si on peut tenter de la suivre. Elle ne se voit pas. Ce que l'on *voit,* n'est qu'apparence, non pas différence. Le visible ne fait pas la différence.

La différence, nous la faisons, entre nous. Entre nous-mêmes

> Scènes d'amour = scènes d'origine
> L'amour rapporte à l'origine. Retour
> Remontée
> L'amour, son effet ou sa preuve, c'est de ramener à l'origine.
> Tu aimes l'aimé(e) à partir de ses origines, à partir du ventre.
> L'amour rétablit la totalité de l'existence.
> Il n'y a qu'en amour qu'on veut connaître l'origine, la généalogie de quelqu'un.

aussi. Elle est notre lecture. Et comme toute lecture, elle varie, entre nous, entre moi, intérieurement à moi, à moi(s), selon qu'elle est plus ou moins avivée, endormie, énervée, selon le lieu, les circonstances, selon qu'elle est évoquée ou refoulée. Et parfois nous l'éprouvons comme une suavité dans la bouche, parfois comme une morsure. Elle est innombrable, évidemment non réductible jamais à un sexe ou genre ou un rôle familial ou social. Elle est myriade merveilleuse de qualités différentielles. Elle passe. Et nous dépasse. Elle est notre richesse intérieure incalculable. Mais si nous ne pouvons la connaître, la définir, la désigner, pouvons-nous en jouir, pouvons-nous la sentir ? Oui, dans le livre d'heures de l'amour, dans ces moments extrêmes où la séparation s'éteint dans l'étreinte la plus étroite. C'est là, c'est alors, dans l'espace infime et infini de la proximité, (le mot approximation !!!) dans l'instant où l'on s'approxime, dans l'embrassement, c'est là au point de contact, qu'on la sent, on la touche, on touche la différence et elle nous touche, sous forme de quoi ? C'est le point ultime voluptueux et cruel de la tentation : que ne puis-je passer de l'autre côté, que ne puis-je une fois me glisser en toi, et faire connaissance de cette chose tienne, — par laquelle tu appartiens à un monde où je ne puis entrer — à moi refusée depuis toujours et pour l'éternité, cette jouissance tienne dont je suis et je reste le témoin enchanté(e) et inconnaissant. Mais je ne puis, car nous sommes créés pour désirer (entrer) et ne pas entrer. Et pour être gardés et nous garder. Et pour sauvegarder le double secret de la jouissance. D'ailleurs, tout est bien fait : nous ne pouvons pas nous « trahir », nous ne pouvons pas nous communiquer mutuellement en traduction. Nous ne pouvons pas nous « donner ». Sinon la ressource inépuisable d'un désir : j'aimerais connaître la jouissance masculine ; je ne la connaîtrai jamais ; j'aimerais connaître le jouir de l'autre sexe. Ce que je connais c'est le point de contact entre deux impossibilités : je ne saurai jamais, tu ne sauras jamais. Tous les deux en même temps nous savons que nous ne saurons jamais. Je touche en cet instant à ce qui reste ton secret. Je touche ton secret, avec mon corps. Je touche ton secret avec mon secret et cela ne s'échange pas. Mais, en souriant nous partageons le goût âpre et doux (regret et désir mêlés) de cette impossibilité.

Dans l'échange, l'inéchangeable

M.C-G. — Il y a donc de l'inéchangeable, toujours, dans l'échange. Et cet inéchangeable perpétue le désir d'échange. Perpétue le désir.

H.C. — En cet instant où nous nous tenons ensemble, en ce point où nous donnerions tout pour nous échanger et où l'échange ne se fait pas, l'inéchangeable fait sentir son étrange et invisible présence. Comme nous voudrions nous « expliquer » : dire : traduire : montrer : peindre : ajouter l'un à l'autre, l'un en l'autre, là, justement, dans cette expérience sans pareille, celle-là justement où jamais le désir, jamais l'impossibilité, n'auront été si aigus. Si aigus qu'il se produit une sorte de miracle paradoxal : là où l'échange est impossible, se fait un échange, là où le partage nous est refusé nous partageons ce non-partage, ce désir, cette impossibilité. Jamais ce qui nous sépare ne nous aura unis par de si tendres liens. Nous nous tenons séparéunis, goûtant séparément-ensemble le goût indicible de la différence sexuelle, telle

> On écoute sans yeux, on gratte la nuit avec les cils.

qu'elle se donne (sans se donner) — à jouir dans les jouissances de l'un et de l'autre sexe. La d.s. est vraiment la déesse du désir. Si elle ne « se » donne pas, elle *nous* donne le plus de nous possible. Elle nous donne à moi par toi, depuis toi. Elle nous donne la jouissance de notre propre corps, de notre propre sexe et notre propre jouissance *plus* l'autre. *Plus* le mélange.

En même temps, oui, cet inéchangeable est à nouveau à la source du désir. Le fait par exemple qu'il y a quelque chose que moi, en tant que femme, je ne saurai jamais : ce qu'il en est de la jouissance masculine, proprement dite, intime, organique, charnelle, et de ce qui l'accompagne. Car c'est accompagné d'une espèce de discours intérieur, une pensée — si l'on peut le dire ainsi. Pas une pensée philosophique mais un *se penser* qui est sans doute grave, qui est en rapport avec l'image qu'on a de soi — un s'imaginer. Là je parle d'un homme mais je pourrais retourner la chose du côté d'une femme. La façon dont un homme vit son corps : cela je le suppose chez cet autre moi animal puissant impuissant. Et comment, aussi, il a une histoire avec son corps ; comment ce qui est à la fois lui-même et sa maison, son intérieur et son extérieur, est sujet à des milliers d'événements — soit tout simplement de l'ordre du fonctionnement, soit de l'ordre des dysfonctionnements, des maladies, des accidents. Ceci fait un tissage

> Le corps de l'autre toujours singulier : chaque fois une histoire, une mémoire, des sensations, des cicatrices, des façons de percevoir — en somme de lire avec son corps le livre du monde.

immense, c'est un destin intérieur qui traverse toute une vie et à partir de quoi surgissent des conduites, comportements, soit dans le présent, soit dans le futur, du côté du projet, en rapport avec l'histoire qu'on se raconte à soi-même : concernant sa propre vitalité, sa propre mortalité. Cela est pour moi totalement passionnant et reste mystérieux. Je vois, je devine, mais je ne sais pas. Il y a tant de petits secrets et de grands secrets qui me restent à jamais inaccessibles. Et que j'aimerais connaître, à cause d'une nécessité supérieure sublime : en tant que peintre d'intimités, si je pouvais savoir, je serais extraordinairement heureuse. Mais il y a aussi la curiosité d'amour : si je pouvais être dans un corps d'homme, j'aimerais *mieux* parce que je repèrerais mieux aussi les besoins, les inquiétudes, les menaces et les joies. Si j'aimais un homme. Et de même il y a de l'inaccessible, dans toute femme, à tout homme.

Je devrais chanter la curiosité, ce premier état du désir : cette pulsion de savoir ce que toi tu sens de ton côté, quand tu jouis, cette envie de savoir comment est bon ce qui est bon pour toi sans quoi il n'y a pas de désir, ni d'amour, ni de jouissance. Parce que le secret de la jouissance c'est que tout en étant non-exactement communicable, elle se nourrit de la jouissance-inconnaissable-de-l'autre. C'est le mystère : cette jouissance qui m'échappe (la mienne, la tienne, m'échappant différemment, la mienne échappe à ma tentative de transmission, mais non à ma chair), je veux te la donner, que tu me la donnes, c'est bien la seule, c'est bien le seul plaisir qui soit indissociable structurellement de ce rêve de partage. Joie double et divisée. (Nous n'éprouvons pas le même douloureux besoin de partager d'autres expériences des sens, me semble-t-il, du moins pas sur le même mode de nécessité déterminante. C'est ce qui donne à l'acte d'amour son caractère vénérable parce que absolument sans équivalent.)

Cette urgence, ce besoin de déchiffrer ce qui ne se dit pas, ce qui s'exprime autrement que par la parole verbale et qui cependant suscite l'envie de mots, c'est notre drame humain. Nous sommes toujours dans de beaux drames.

Une urgence qui suscite l'envie de mots

M.C-G. — N'est-ce pas cela que cherche l'écriture de fiction telle que tu la pratiques et le choix même du lieu fictionnel : faire parler ce qui ne parle pas ? Ce qui est muet, *infans*-enfance dans nos paroles et les travaille de non-parole ? Ce qui n'a pas de discours constitué ? Ainsi considérée, l'entreprise d'écrire tente d'avoir un rôle de révélateur : que peut la poésie, que peuvent les rêves que la théorie ne peut pas ?

H.C. — J'écris aussi afin d'aller plus loin, plus loin que ce que je dis, et ça n'est pas impossible. Je peux aller plus loin que moi parce qu'il y a du plus loin que moi en moi —comme dans tout être. Ce plus loin que moi en moi ne peut être qu'un mélange d'autres et de moi. Des traces d'autres, les voix de mes autres — mais qui ? Nous sommes pleins de voix, comme toutes les îles. Donc, si effectivement j'arrive à laisser passer ce plus loin que moi en moi, je finirai moi-même par en savoir un peu plus. Ma mère m'a toujours parlé de mes arrière-grands-pères talmudistes : j'ai des images imaginaires de ces vieux qui ont passé leur vie nocturne à étudier le Talmud. Je les vois — il y a des photos — je

> Mais dans une autre histoire Milena a vraiment aimé et aimé être aimée...

vois ces vieux avec leur calotte, un livre énorme devant eux qu'ils ont étudié toute leur vie parce qu'on ne peut pas l'apprendre ni le connaître, on ne peut que le lire, l'étudier et l'interpréter. Le Talmud est aussi infini en ses commentaires que notre expérience de la d.s. et ses traductions... Je dois être une talmudiste de la « réalité » ! J'ai l'impression d'être devant un livre infini, mais particulier : dans le Talmud les mots sont écrits ; dans mon livre, les mots n'y sont pas. C'est à force de contempler et écouter que je vois apparaître des mots. C'est ça. C'est comme cela que commence l'écriture pour moi.

M.C-G. — Par l'écoute ?

H.C. — Par l'écoute d'un grand livre qui est couvert de signes non encore visibles. Et c'est en écoutant que j'en viens finalement à voir.

M.C-G. — Comme s'il était nécessaire de faire table rase des discours tout faits, des réponses-à-tout, pour pouvoir être en état d'entendre autre chose. Faire autre chose, inventer. Ce n'est même plus une question de démolition des discours déjà existants : c'est une autre approche. Une autre langue.

H.C. — La langue, encore une fois, c'est elle qui parle d'abord. Pour moi, tout est expérience, d'abord. *Ensuite* il y a une expérience qui vient d'ailleurs : celle que je vois inscrite dans certains textes. Les livres que j'aime sont justement non pas des récits maîtrisés mais des journaux d'expériences. Ce sont des livres qui ont enregistré et laissé intact, précisément, *le survenir* d'une expérience, repérée ou remarquée pour la première fois. Cela oui : ça vient, ça rencontre, ça conforte ce que j'écris. Ou bien ça entre en dialogue. Parce que ce à quoi je suis sensible c'est soit à de l'analogue, soit à du différent : en tout cas, à du différent dans l'analogue. Par exemple, j'ai longuement travaillé, et je suis loin d'en avoir fini, avec ce texte de Stendhal qui m'enchante *la Vie de Henry Brulard,* ou les *Souvenirs d'égotisme*. Et je me retrouve toujours ramenée au même lieu et à la même raison d'écriture chez tous les écrivains, c'est-à-dire au plus intime : aux préparatifs. Dès qu'il y a dans une œuvre une part

> Ce que j'aime (lire-écrire) : *les Carnets*. La terre avant le livre.
> Les *Carnets* de Kafka, de Dostoïevski, de T.B., de C.L., les souffles, les cris, les cailloux.
> Quand je lis, je cherche *les carnets du livre.*
> Il y a du carnet dans J.D.

de journal et une part de roman, je suis du côté du journal. C'est mon lieu. Je suis lectrice des journaux et de la correspondance de Kafka, beaucoup moins de ses romans.

Donc, pour parler de Stendhal et de ces deux textes sublimes, qui sont les deux mêmes et pas du tout les mêmes : voilà un exemple de différence à l'intérieur d'un espace apparemment identique — Stendhal a fait un geste que je trouve presque unique. Dans une entreprise qui se présente comme autobiographique (je dis ainsi pour faire vite mais ce n'est pas vrai), il s'est accordé une liberté incroyable. Pour se donner cette liberté, c'est-à-dire procéder par associations, par dérive, écrire « ce qui lui passe par la tête » — se laisser faire sans être à l'intérieur d'une structure *re*faite comme le monologue intérieur qui a été refabriqué sur ce modèle comme genre (alors que ce n'est pas un genre chez Stendhal) — il faut une pureté de cœur, il faut un courage exceptionnel : être sans pudeur et sans impudeur, hors surmoi, sans calculer ce qui est convenable et ce qui ne l'est pas. Dans le sens de l'aventure libre (qui pourrait être mégalomane, ce dont il se méfie de manière tout à fait charmante) il est allé, à mon avis, plus loin, avec plus de légèreté que Rousseau. Rousseau écrit ; Stendhal note. J'adore la façon dont il note, dont il rapporte ce qui engendre, ce qui cause, ce qui sera un livre.

« New York n'a pas changé » —une pensée qui vient parce que je m'attendais à ce que New York ait (changé) disparu. New York est toujours là. Pensée de la disparition de New York : New York tellement provisoire. Près de la fin. Eschatologique. La foule traite la ville comme une mourante. Mourante frénétique. Même plus la peine de ranger, nettoyer, restaurer — puisque ça va être la fin. Comme si tout le monde savait (pensait). Après nous le déluge.

Voici comment aura commencé le commencement de *la Vie de Henry Brulard* : Stendhal raconte comment tel jour, à telle heure, il est dans la campagne italienne, et il laisse se dérouler un temps pluriel passé présent passant : d'une part la contemplation d'un paysage merveilleux suscite des affects très nombreux ; d'autre part, et de colline en colline, de fil en aiguille, de présent en passé, de passé en présent, il en arrive à penser à *La Transfiguration* de Raphaël. Il plonge en se disant : et dire que ce tableau était enfermé pendant 250 ans, et que maintenant il est exposé d'une manière qui le rend visible. Ce qui est magnifique, c'est aussi que sans que lui le dise, sans que nous le percevions, ce qu'il voit — c'est là que se fait le travail secret de l'écriture — est une métaphore motrice de ce qui va se produire. Ainsi : il lui vient à l'esprit *La Transfiguration*, elle était depuis 250 ans enfouie, et voilà que maintenant elle est visible ; et tout le livre qu'il va écrire, ce sera exactement cela : c'était enfoui depuis 250 000 ans, et il va y avoir transfiguration visible de tout cela. Or il ne le relève pas. Ce qui donne, ensuite, à ce qu'il aura écrit une profondeur que lui-même n'a pas calculée. Ou bien non : s'il ne l'a calculée, le rusé, il l'a vue passer, la métaphore, et il lui saute dessus.

Que ce soit une découverte imprévue

M.C-G. — Cela veut dire que l'écriture... écrit. Réfléchit et se réfléchit en dehors de nous ? À coups de signifiants ?

H.C. — Elle se fait avant nous. Elle *se fait* : évidemment, il faut qu'il y ait de quoi faire. Et Stendhal n'exploite pas. Par contre, il entend : 250 ans, deux cent cinquante, deux cent cinquante, cinquante... Ça me dit quelque chose... Grands dieux, mais je vais avoir 50 ans. Tout d'un coup et justement par un coup de signifiant, lui vient de cet extérieur qui est intérieur, cet intérieur qui est sorti et qui revient faire intérieur, lui revient, un signifiant auquel il n'avait jamais pensé. C'est comme si c'était son propre nom, son nom propre : c'est son âge propre. *Qui* lui apprend qu'il va avoir 50 ans ? Le paysage italien. Le livre du Paysage, qu'il est en train de lire, et qui lui renvoie, par réfraction différentielle, son propre portrait intérieur.

M.C-G. — L'écho du paysage, l'écho *dans* le paysage : c'est-à-dire lui à fleur de paysage comme on dit à fleur de peau. Partout le sujet affleure : c'est l'écho en lui du paysage, lequel lui retourne sa propre vision.

H.C. — L'écho en lui verbalisé d'une vision... Et il dit : cette découverte imprévue. Dire que c'est une découverte imprévue, cela c'est le génie. C'est-à-dire c'est ce qui est intact, ce qui n'est pas corrigé, ce qui arrive. Car nous, en général, nous ne nous permettons pas de nous dire cette vérité. Il arrive à bien des gens de s'apercevoir, tel jour, à telle heure, que la cinquantaine est en train de leur venir dessus. Nous sommes façonnés de manière si atrophiante, formés pour les clichés, que même s'il nous arrive quelque chose d'inouï, d'absurde, nous le rejetons tout aussi rapidement que c'est arrivé pour le remplacer par de la pensée et de la perception toutes faites. Si par hasard advient ce

Et cependant à son émerveillement *New York était toujours là.*

La même ville puissante, magique, maléfique, le festin pendant la peste, la danse au bord des lézardes, dans la rue le Chœur des Noirs Good Night Beautiful — Good Morning. Le vendeur de journaux, seul, au milieu du réseau des voies de péages, comme sur un rocher, seul, abandonné, tellement résigné qu'il n'est même pas résigné, sale, avachi, tenant son paquet de journaux — sur sa poitrine, casquette, personne n'achète, il attend le hasard, gain — ?? impensable. L'homme attaché aux journaux, l'air détaché, ne regarde pas les voitures passer sans le regarder, une scène qui lui arrache des larmes, l'homme à l'extrémité, (— comme en Inde : on vend « rien », vendre est un acte pur, immense, absolu, on vend un crayon, un journal, par demi-journée, vendre est un acte de foi, acte sans triomphe, sans éclat, acte en deçà de toute humilité) — il vend — et ne mendie pas —l'homme est encore dans le flot énorme des échanges, — ô l'immensité de la ténacité humaine, ténacité passive, adhésion au destin sans espoir, sans désespoir. L'homme est tourné vers les voitures, les voitures l'encerclent, roulent, sans s'arrêter. L'homme est toujours là.

miracle — découvrir un jour que la cinquantaine nous arrive : pas le fait d'avoir 50 ans mais que ce soit une découverte imprévue — nous, nous l'annulons. Et le Talmud reste blanc.

Mais à condition de nous libérer de nos propres despotes intérieurs, nous sommes les êtres les plus poétiques, les plus neufs, les plus vierges du monde. Il nous arrive des millions de choses tous les jours : c'est nous qui ne les recevons pas.

M.C-G. — Parce que nous n'avons pas la langue pour les connaître. Ou plutôt : tu le dis, nous ne nous laissons pas travailler au corps par la langue. Stendhal nous le rappelle : c'est toujours sur notre propre peau que nous écrivons. Et nous, nous ne prenons pas le risque d'y laisser la peau. Nous dirions : j'*ai* tel âge. Nous emploierions aussitôt le verbe de la possession pour nous couler dans une situation toute prête de maîtrise.

H.C. — Mais ce n'est pas parce qu'on n'a pas la langue. On l'a. Si on l'accepte.

M.C-G. — Elle est déjà figée en idiomes ; elle parle sans nous. Elle nous a refaits avant même que nous ayons tenté de faire ou dire par nous-mêmes.

H.C. — C'est que, tout de suite, nous nous précipitons vers les clichés. Ce n'est pas parce que nous n'avons pas la langue, c'est parce que nous n'avons pas le corps. La langue y est, on peut en faire ce qu'on veut. Mais c'est notre corps : tout de suite, nous sommes rangés, déjà habillés.

Dans Washington Square le peuple des écureuils : n'arrête pas de vivre — grignotent, montent, descendent, occupés, écureuils très occupés — de manger, principale activité, la vie c'est grignoter, esquivent, danger, reprennent la châtaigne, le gland, à deux mains rongent vite, les écureuils en rapide alimentation, fast food, c'est sérieux. Au centre les écureuils. Autour les tours de l'Université.

M.C-G. — Nous employons une langue prêt(e)-à-porter.

On revient à la question du roman ? Tu dis : entre le journal d'expérience et le roman, tu es du côté du journal, de l'inachevé, des préparatifs. Cela entraîne bien des choses. D'une part, la question de la différence sexuelle travaille le genre grammatical dans tes textes, mais aussi, de pair, le genre littéraire. Tu ne te laisses pas définir à l'intérieur d'un genre littéraire — la littérature canonique aime, au contraire, les distinctions, ne pas mélanger les genres, garder les formes. C'est une spécificité de la fiction que tu écris. Si j'essaie de comprendre comment ça marche, je vois d'abord et j'entends la langue. Tu fais brèche dans l'idiome quotidien sans imagination ; mais il y a la *façon*, qui n'est jamais n'importe quoi ni n'importe comment. Exemple : *un* fourmi, *une* aigle, *la* rêve, mais jamais un*e* écrivain*e*, un*e* auteur*e*, un*e* professeur*e*... ce que j'entends au Canada. Il s'agit de deux terrains différents : dire une écrivain*e* c'est s'attaquer à l'institution, à des titres. Ce n'est pas le plan d'une poétique, d'un imaginaire.

majuscule, minuscule

D'autre part, quant aux pulsions et rythmes qui sont la source de l'écriture, peut-être convient-il de préciser. Pour certains, la pulsion est viscéralité, ou automatisme, ou mimétisme. Ces vecteurs opèrent aussi dans ton travail, mais si je cherche en quoi travaillent les rythmes, je trouve, *d'abord,* le « sonner juste » et une écriture « en repentirs » : pas dans le manuscrit mais dans le texte imprimé — on voit que ça bouge encore, qu'il y a du devenir. Le texte se corrige, se retourne sur lui-même, et avance en se reprenant. En reprenant des mots que nous avons banalisés et que l'activité scripturale, la tienne, place sous rature. Une manière d'écriture-réécriture c'est l'utilisation des majuscules. La majuscule marque d'ordinaire l'irruption de l'allégorie dans le texte littéraire. Et il y a dans tes textes une manière d'écrire avec des majuscules qui fait que tout est personnage, pas seulement l'humain : tout objet, tout genre, toute chose peut être un personnage. Et inversement : les personnages peuvent être banalisés. Dans *Déluge*, Ascension est non seulement un prénom de femme mais l'ascension, qui rime avec attention. David apparaît comme un david et un da vide. Etc. En somme, l'usage de la majuscule consiste surtout à imprimer des forces dans le texte : c'est une manière de vecteurs, de lignes d'intensité variable, modulable : où *du courant* passe ; bifurque ; s'interrompt.

De sorte que mettre une majuscule ou une minuscule au mot, c'est lui donner une résistance différente. C'est en faire *une résistance* variable du texte et pouvoir moduler des intensités différentes. C'est dans la mesure où un corps *résiste* que l'intensité est plus ou moins grande. Considérant cet aspect de vectorialisation, je vois que cela organise dans le livre des longs circuits et des courts circuits. On est, au début, en attente, pratiquant une lecture à l'aveuglette — tu requiers un retard de la lecture sur le texte au départ —puis, à un certain moment, on saisit, on ne perd rien pour attendre : ça se met à gerber, à scintiller. Toute une surdétermination est à l'œuvre. David, dans *Déluge*, c'est le fil conducteur, ne serait-ce que parce que c'est le fil de téléphone au cours du livre ; et tout à coup s'opère une cristallisation, *David* donne lieu à tout un réseau de significations : D comme Désir, D comme Déluge, il est aussi l'étoile, et donc la marge, le nain géant, David et Goliath. Ensuite, arrive toute une série de coups de langue, une épiphanie linguistique : « le coup de D », c'est-à-dire la poésie ; le coup de « D dur », c'est-à-dire la musicalité ; le « D-iminuant » c'est-à-dire la flexion... Bref, tout ce que, faute de mieux, j'appelle faire vecteur, dessiner des lignes de force. Ceci donne à lire d'autres éléments encore où le roman se trouve à la fois court-circuité, parasité, explosé. Ce roman, tu le dis, est un corps où circulent deux sangs, en sens contraires : « Un corps et deux sangs qui roulent en sens opposés » (*Déluge*, p.37). La linéarité du roman est constamment en contradiction et en explosion.

Le fourmi. Fourre m'y

H.C. — C'est très beau ce que tu viens de dire.

Je crois, qu'il faut séparer les domaines de la pratique. L'usage, en particulier au Canada, des mots « un*e* écrivain*e*, un*e* auteur*e* » etc..., est une pratique militante. On en pense ce qu'on veut mais cela appartient à un certain champ qui est surdéterminé, daté. Et aussi à une certaine culture parce que c'est un phénomène québécois. C'est substituer une institution à une autre, une fixation ou une grammaticalisation. Après tout, on se heurterait très vite aux apories : je ne sais pas si on a lutté pour une facteur*e*.

Tout cela n'a rien à voir avec la pratique littéraire. Tu prends *un*

> Toujours ce problème de la loi et de la langue.
> Question féministe :
> Imaginons une langue « corrigée ». Je suis contre.
>
> Les effets grammaticaux sont précieux. Justement, ils permettent du jeu. On ne jouerait plus; On ne déplacerait plus.
> Le fait que la langue me résite, me gêne, est une bonne chose. Il y a un profit.
> Et que faire avec le mot philosophe ? Comment le « corriger ».
> Je ne pourrais plus jouer à la lune et l'autre.

fourmi, *une* aigle : un fourmi est peut-être plus remarquable qu'une aigle puisqu'il y a des aigles au féminin en français. Un fourmi, c'est moins courant. Quand un fourmi apparaît dans mes textes, ça me surprend et ça surprend, c'est inévitable. Un fourmi, ça attire l'attention ; ça remet en questions : la fourmi, le fourmi, nous — tout. Dès que quelque chose de ce genre bouge, tout vacille. Avec un fourmi, on peut faire trembler le monde, si on y pense. Avec, en plus, ce qui peut se déployer comme associations signifiantes : et c'est ce que fait Derrida ; il est allé très loin, à cheval sur le fourmi. (*cf.* Annexe, Extrait n°1)

Ce n'est pas arbitraire ; c'est *le* trouble, c'est *notre* propre trouble quant à la différence sexuelle et quant à ce que ça peut produire dans les genres, qui s'inscrit de cette manière. *Fourre m'y*. Lorsque *un* fourmi ou un autre signifiant insectueux surgit, il n'est jamais seul dans mes textes : cela entraîne toute une scène ; et dans cette scène, il y a des enjeux destinaux. Il doit s'agir du destin d'une femme, de l'amour, — de l'insectitude.

Quant à la question des pulsions, des rythmes et de l'usage qui pourrait se faire au plan d'une viscéralité : c'est vrai que je n'avais pas pensé en ces termes mais c'est bien que tu sois prudente. La pulsion, de toute façon, reste quelque chose de mystérieux. C'est un phénomène physique, on pourrait le comparer à la contraction qui nous est plus familière c'est-à-dire le battement de cœur, la diastole et la systole. La pulsion, c'est un peu ça : le corps-âme qui se contracte et se décontracte. C'est le corps en acte dans l'écriture. C'est pourquoi je n'ai jamais compris les gens qui faisaient comme si l'écriture n'était pas absolument indissociable d'un corps vivant et complet.

On écrit avec les oreilles

Lorsque je me réfère à la musique, c'est que la musique nous donne à entendre directement que la langue se produit dans un jeu avec le corps. On écrit avec les oreilles. C'est absolument *premier*. L'oreille n'entend pas une note seule détachée : elle entend des compositions

> J'écris comme la petite l'enfant qui apprend à marcher : elle se précipite, plus vite qu'elle-même, comme si le secret de marcher était devant elle.

musicales, des rythmes, des scansions. L'écriture est une musique qui passe, qui s'éteint en partie puisque ce qu'il en reste ce ne sont pas les notes de musique, ce sont les mots. Mais ce qu'il reste de musique et qui existe aussi dans la musique proprement dite, c'est bien le rythme, c'est bien cette scansion qui fait *aussi* son travail sur le corps du lecteur. Les textes qui me touchent le plus fortement, jusqu'à me faire frissonner ou rire, sont ceux qui n'ont pas refoulé leur structure musicale ; je ne parle pas ici simplement de la signifiance phonique, ni des allitérations, mais bien de l'architecture, de la contraction et la décontraction, des variations du souffle ; ou bien de ce qui me bouleverse d'émotion dans un texte de Beethoven, c'est-à-dire les arrêts, les très forts arrêts en pleine course de symphonie. Soudain, mon propre souffle est bridé sec à la rêne. On est suspendu là-haut, au-dessus de soi-même dans l'air libre de tout bruit. Et. On repart, d'un bond, un chemin ou un cœur plus haut. Qui écrit comme ça, — comme l'émotion même, comme la pensée (du) corps, le corps pensant ? J'ai la passion des arrêts. Mais pour qu'il y ait arrêt, il faut qu'il y ait cours, course du texte. Toujours le mystère de la différence, de la différance. Pas l'une sans l'autre.

Quant au travail de repentir : mon texte se reprend mais je ne sais pas s'il se repent.

L'écriture se reprend quand elle s'entend

Le travail du « se repentir », je le fais dans mes brouillons ; le travail du « se reprendre » reste dans ce qui est donné à lire. Ce qui s'appelle « repentir » en peinture et en dessin, c'est souvent de la correction, de

J.D. (= *Jacques Derrida*)
La passisimplicité. Pensée tournante, un tour de plus — à la place de l'autre.
Pour l'autre (sémantique du pour...)

À quel point n'est pas français. Est antique. C'est-à-dire premier Archimède.
(façon de dessiner sur le sable du texte)
Pensée innombrable comme le sable ça se perd. Mais ça a eu le temps de cristalliser... une attitude de pensée.

Intégrité : pas de fluctuation, pas d'opportunisme. Il a ses propres lois (fidélité, exactitude...) *Il est très.*

Celui qui ne ment pas : tout son effort pour rectifier le tir, et la cible est son propre cœur (mais son propre cœur est le cœur humain)
pensée qui va non pas errant mais serrant, serrant, de plus près.
— *Serant* — (Et s'il existait un participe présent-futur)

Ses cataractes :
Biblique : écluses qui sont supposées retenir les eaux célestes.
Cataracte : opacité du cristallin, ou de sa membrane etc.
Ambroise Paré : cataracte ou coulisse :
clôture —, coulisse qui ferme.

l'ajustement. Comme si le peintre se disait : ce n'est pas tout à fait ça, pas tout à fait ça encore. C'est un travail d'approximation : finalement on garde « le-plus-près-possible ». Et c'est ce que je fais. Mais je crois que ce qui reste dans mes textes — peut-être qu'il y a une part de repentirs — ce qui reste c'est le « se reprendre ». Le discours implicite n'est pas : « ce n'est pas tout à fait ça » mais plutôt : « c'est ça, mais cette proposition, cette phrase, disent aussi *plus que ça* ». Et c'est le « plus que ça » qu'il m'arrive de vouloir faire entendre quand même. Parlons, maintenant, de ce « faire entendre » : ça se reprend ou je reprends, l'écriture se reprend quand elle s'entend : quand l'auteur vient d'écrire une phrase et que j'en entends les prolongements. Prolongements de sens. Je l'entends qui continue à vibrer. Pour moi, tout est dans la vibration ; et je me dis : est-ce que nos oreilles vont entendre les vibrations ? C'est-à-dire : est-ce que l'économie du texte, sa construction tissée, va permettre d'entendre les vibrations ? Pour que nous entendions les vibrations, il faut qu'il y ait du silence. La poésie travaille avec le silence : elle écrit un vers, suivi d'un silence, une strophe, entourée de silence. Autrement dit, il y a le temps d'entendre toutes les vibrations. Quant à la prose, une des différences avec la poésie, c'est justement qu'il n'y a pas de silences. La plupart du temps, les pages ne laissent que peu de place aux silences, ruptures, blancs. Idéalement, je préférerais écrire mes textes comme je les entends : c'est-à-dire comme poésie. Je les écrirais donc en colonne : à ce moment-là, il y aurait de l'espace blanc qui permettrait à la lecture d'entendre les vibrations des phrases. Si je ne le fais pas c'est que le volume du livre serait multiplié par quatre ; ce serait un trop long poème.

> Pourquoi Vinci n'a pas fini ses tableaux ? Parce qu'il les avait d'abord vus et peints en les sept minutes d'un rêve. Le temps ensuite de les copier... Non !

Comme je suis dans ce *medium* « appelé » prose, et que j'écris à la résonance — et je veux qu'on entende les vibrations — il m'arrive de les réinscrire. De faire suivre un énoncé de sa vibration : une vibration qui n'est évidemment pas purement phonique, qui est de l'ordre du sens. Je donne un exemple : j'écrirais un vers, ce serait : « tu viens de partir ». Ou bien ce vers est prononcé dans un espace reconnu, ou bien légitimé comme poétique. Et c'est alors le vers le plus riche du monde : j'entends les accents toniques, la césure. J'entends la nostalgie ; j'entends la délicatesse sémantique du tu viens de partir ; j'entends le sujet s'en aller, et venir. De partir. Si je veux faire entendre toutes les vibrations de cet énoncé, je vais faire une reprise. Je vais écrire : tu viens de partir, tu *me* viens de partir, etc. Thème à variations.

L'environnement musical et silencieux

Un autre exemple. J'écris la phrase : « L'heure vient d'écrire. » Si c'est une phrase suivie d'un blanc — supposons que c'est « la dernière phrase » (comme le « Elle va bien tomber ») — le blanc, l'espace libre sonore va lui permettre de vibrer, et le lecteur va entendre. Si au contraire elle est à l'intérieur, si elle est internée, à mon avis on ne l'entendra pas, ou très peu. Or si elle résonne, j'entendrai : c'est l'heure d'écrire. Et j'entendrai : L'Heure avec une majuscule, mais je n'ai pas besoin de majuscule ici : l'heure — le sujet —elle vient d'écrire. Et : écrire est l'origine de l'heure. Voilà une partie de mon travail. Il se situe dans l'environnement musical et silencieux du texte qui produit des effets dans mon écriture. C'est parce que j'entends l'écriture écrire.

> C'est comme cela que j'écris : comme si le secret qui est en moi était devant moi.

Parlons de majuscules. Dans la description que tu fais, je reconnais quelque chose de la physique de l'écriture. D'abord, ce serait la marque du sujet. Mais je ne voudrais pas que ce soit un nom propre, évidemment. La marque de l'activité. Tu parles de forces : c'est bien de cela qu'il s'agit. Les forces sont variables. Les causes des forces, pour parler en termes de physique, sont variables : un mot comme « l'heure » peut n'avoir aucune force, et puis, en situation, peut prendre une force monumentale ; et atteindre la puissance allégorique qu'il avait chez les Grecs. Aux temps grecs, une quantité de mots tout à fait ordinaires étaient investis de ce dont ils étaient porteurs en réalité : c'est-à-dire de forces secrètes. Et pouvaient même acquérir un statut de déité. Ainsi en était-il des Heures. Le Terme, le Lot, le Serment, le Droit, la Vérité, toutes choses qui pour nous sont tombées dans l'abstraction, étaient vécues comme de telles puissances psychiques ou destinales qu'on leur attribuait la couronne majuscule. Il s'agit bien d'un principe. Une force, c'est une sorte de Personne mystérieuse et sans visage, mais tout aussi concrète que « sa force Achille » comme dit Homère.

Les majuscules ne viennent pas renforcer le domaine du propre, mais elles traduisent l'existence d'une population d'individus accentués en nous. De David à un david, le sujet perd son privilège, sa royauté, son statut capital, laissant apparaître qu'il n'est qu'un exemplaire sans singularité d'une espèce. Selon le point de vue de l'énonciation. Mais ceci n'aura pas été un procédé ; seulement l'enregistrement d'une altération. Une lecture, donc. Il faut la lecture, il faut être en état de « lisance », grand éveillée si l'on veut témoigner de la vie humaine.

À propos du roman court-circuité : la dimension romanesque est pour moi déplacée. Il y a quand même du récit. Mais l'aventure ne se situe pas à l'extérieur, elle ne se manifeste pas avec des scènes enchaînées, elle n'est pas dans la chaîne. Elle est dans l'entre-scènes où se passe toujours ce qui pour nous, individus tourmentés, est l'essentiel. Dans une scène, rien ne se passe : il se passe des événements. Nous sommes des particules sans profondeur dans la scène au présent. Les effets profonds surgissent dans l'après-coup. Les racines poussent ensuite, d'abord le choc, ensuite les nerfs. La richesse d'une histoire se situe dans les interstices. Dans le grand théâtre, les moments les plus bouleversants sont toujours les après ou avants. Avant le crime, avant la trahison, après la séparation. Le théâtre est avant et après le roman. Dans les veillées.

> Le feu se répand dans tout le texte. Le texte flambe. Le feu vit. Le texte rit de toutes ses dents de feu.

L'entre-scènes du roman

M.C-G. — Le théâtre classique vit de la dimension vibratoire. Le reste, les événements, ça n'a pas lieu sur la scène.

H.C. — J'écris là où ça vibre. Où ça se met à signifier. À s'ignifier. Très loin au-delà du simple moment de vibration. Ça s'envoie, ça entrechoque et ça renvoie ; ça fait écho à travers notre mémoire, à travers nos corps, à travers des mémoires étrangères avec lesquelles nous communiquons à travers des inconscients. Ce qui intéresse tous les êtres humains, c'est ce qu'on appelle les affects, ce qui nous préoccupe : c'est le *pré-* de l'occupation, ou le *post-* de l'occupation.

M.C-G. — Le repentir est avant, c'est le moment des corrections, des préliminaires. Le « se reprendre » est l'inscription des déplacements. C'est affaire (à faire !) d'économie du texte. La reprise marque le différentiel textuel, pas un son mais la résonance, pas du sens mais la renaît-sens, la résurgence. Réinscrire est un écrire minimum.

Certes, tu peux te sentir à l'étroit dans le genre romanesque, dans le prêt-à-lire-écrire du genre littéraire, alors que tu cherches à *donner* lieu — inventer lieu — à une écriture qui ait toute latitude de construire, au fur et à mesure, une économie.

Quant au blanc, au silence qui fait vibrer : le manque d'espace blanc c'est l'infirmité du roman. Toi, tu as des mètres, au sens poétique de la mesure : les alinéas mettent du blanc dans le texte, l'écriture fait colonne, fait voie, fait le passage. Cela est net dans *On ne part pas, on ne revient pas* où le dispositif est d'autant plus étonnant qu'on est en situation de dialogue ou de monologue de théâtre : et soudain on se trouve en *justification poétique.* J'emploie à dessein le terme « justification » ; il n'indique pas seulement l'assignation typographique : c'est aussi la justification des personnages à ce moment-là ; de ce qu'ils disent, de leur intervention sur la scène.

Quant à la prose, elle peut jouer des deux systèmes, tu ne t'en prives pas. S'il y a l'entre-scènes du roman c'est parce qu'il y a à la fois l'effet de plein que permet le continuum de la prose, et la caisse de résonance que constituent les silences, les blancs de l'écriture poétique. Cela est très sensible. Sensibilise la lecture.

Un autre élément fait que tu es à l'étroit dans un genre préétabli, fondé sur l'illusion de la représentation : « le roman oublie ses décombres » (*L'ange au secret,* p.226). Alors que tu veux écrire avant que tout soit mis en ordre, rangé, étiqueté : « je veux les laves, je veux l'ère qui bouillonne avant l'œuvre » (p.225). C'est encore la

> On ne reçoit rien si on ne reçoit pas 2 fois. Entre les deux fois, il y a la mort. Et il faut qu'il y ait ça.
> (On ne donne rien si on ne donne pas 2 fois)

reprise : approximation et inachèvement. Dans tes textes, ce n'est pas seulement l'écriture à la résonance, mais une manière d'écriture-à-l'arraché. Qui est, à tous les sens du terme, une épreuve. *Déluge* : « J'écris mes sombres textes que j'arrache aux rochers intérieurs » (p.216). Se dessine ainsi une écriture-don : pas un don... dû, mais un don-dette, liée à l'incomplétude de l'infinie reprise. C'est pour cela qu'un certain genre romanesque ne convient pas. Certes, il existe des formes innombrables qui sont beaucoup plus souples. Diderot avec

Jacques le fataliste, Sterne avec *Tristram Shandy* font à peine des formes-romans. Il faut, sans cesse, le débordement, la crue de l'écrire qui est en fait une crue de l'être. Va jusqu'à l'indécence par rapport aux formes normatives.

Pour aller je prends l'escalier magique, celui que je descends.
j'ai inventé cela il y a près de cinquante ans. Méthode rapide. Toujours étonnée de voir que j'étais seule à en user de l'escalier.
Pente

H.C. — Je préfère aux romans que j'adore de Stendhal ses non-romans. Le roman que j'aime c'est d'ailleurs celui qui a gardé sa part de non-roman.

On peut imaginer des romans qui luttent contre la forme classique, ou bien, qui s'arrachent. Ou qui se moquent du roman ou qui prennent le roman par les cheveux, ou au berceau, qui se penchent sur la gestation, qui interrogent l'essence ou la nature ou l'origine de cet objet étrange : est-ce une plante, est-ce un enfant, est-ce animé ? Magnifiques ces moments où le roman est encore jeune, et où peut-être il menace de vieillir. Et parce qu'on est encore dans la jeunesse du roman, on peut lui infliger toutes sortes de tourments, ou bien jouer avec lui. Il n'est pas encore dressé, pas encore rompu. Pour *Jacques le fataliste* ou pour *Tristram Shandy,* ce qui va être mis en jeu, c'est le différé. Ce n'est même pas de l'après coup, c'est du différé : l'avant-coup du roman.

Les caves, les greniers, les soupentes du cœur

Clarice Lispector a écrit des romans : ce sont des romans cassés. Parce que c'est d'elle que je me sens le plus proche, en pensée-écriture, c'est à elle que je peux mesurer ma différence. Il y a les textes que je préfère, ceux où le sujet de l'énoncé est Je, même si on ne sait pas qui. Il y a aussi des textes extraordinaires avec des personnages tellement intérieurs, qui ont si peu de surface, d'apparence, de socialité, qu'ils frôlent l'éternel. C'est quoi ? C'est toujours « une femme », « un homme » ; ou bien des femmes. Ça peut s'échanger. Tous ces personnages sont faits de la même pâte — c'est la pâte de Clarice. Il y a des « événements ». Il y a du « récit ». Des chapitres commencent par « un jour ». Mais tout cela est d'une extrême ténuité. Et les événements circonstanciels précipitent la lecture dans les caves, les greniers et les soupentes du cœur. Mais afin de tendre la toile, de tenir l'espace dans lequel elle va puiser les ondes des secrets qui sont surpris dans les relations humaines, elle propose à ses personnages des situations romanesques — apparemment. Ce sont d'ailleurs souvent des situations imperceptibles. Le « roman » sera réduit à : une femme (dans *La Ville assiégée*) se marie. On ne voit pas du tout le mariage mais il est annoncé puis elle est mariée. Et aussitôt on est à l'intérieur du mystère, de l'intimité, de ce qui se produit dans le fin fond de ce qu'on appelle « mariage » en superficie. Trois chapitres plus loin, elle est veuve, en trois lignes. Ce qui va être travaillé, c'est alors le venir-à-connaître les effets intimes de ce que je rassemble sous le mot « veuvage. » Le mot est employé et il prend aussitôt une dimension extraordinaire ; il se met à rayonner. Disant cela, je me dis : c'est peut-être cela que je fais. J'ai le sentiment, peut-être faux, qu'il y a plus de reste romanesque — un reste qui est en fait un dispositif — dans le travail de Clarice que dans le mien. Peut-être ai-je ce sentiment parce que les personnages de Clarice portent des noms alors que mes personnages vont nu-être ? Je ne sais pas donner de noms.

M.C-G. — (rires) Ils ont des noms très étranges tes personnages. J'ai toujours cru que c'était fait exprès, pour que justement ils n'aient pas trop l'air de personnages ; pour qu'on n'y croie pas complètement.

H.C. — Ce n'est pas fait exprès. Donc je ne méprise pas l'ultime forme du roman ; qui n'a pas rompu tous les liens avec ce qu'était jadis le roman. Mais... Pour moi, il n'y a que Clarice qui soit dans cette zone-là.

M.C-G. — C'est la zone du sublime : où le roman, au bord de l'abîme, prend tous les risques. Monte encore d'un cran : le degré, la voix. Dispose des paroxysmes, des éclats, des failles. Défaille.

Apocalypses

H.C. — Ce qui m'intéresse, c'est ce que je ne connais pas. Et qui me laisse d'abord silencieuse. Qui me frappe d'étonnement, d'un certain silence. Mais en même temps, qui me frappe au corps, qui me fait mal. Je sais que c'est par là que va se dérouler ce qui va être une recherche, une exploration.

C'est toujours ce qui est plus fort que moi qui m'intéresse. Cela a l'air paradoxal ; mais ce n'est pas paradoxal. (Je préfère dire cela que « sublime » : ce qui est plus que moi). Est-ce que ça veut dire qu'il m'est impossible d'en rendre compte ? Non. Parce que nous pouvons toujours être plus fort que nous ; nous avançons. Je vais faire un aveu :

quand j'ai commencé à écrire, j'avais des impressions fulgurantes. C'était déjà ma démarche, j'allais vers les choses que je ne connaissais pas ; j'apercevais devant moi, là où commence ce que je ne sais pas, ce que je ne comprends pas, des scènes éblouissantes. Tout d'un coup, cela se découvrait à moi, absolument, comme dans l'Apocalypse. Et alors, d'une part, évidemment, je jubilais —enfin des obscurités et donc des poids dans ma vie se dissipaient, comme toujours dans ces cas-là pour tout le monde, et j'en éprouvais une force supplémentaire. Mais d'autre part, j'ai eu, pendant un certain temps, une inquiétude, qui m'apparaît comme comique aujourd'hui : et si tout d'un coup tu vois tout ? me disais-je, il n'y aura plus rien à dire. Il n'y aura plus rien à voir, j'aurai tout vu ! Je suis très contente de me souvenir d'avoir eu cette peur ; la peur qui était causée par l'idée que je n'aurais plus rien à écrire ! Il y a longtemps que cette peur m'a passé. J'en ai une autre à la place (rires)...

> Ce qui me lie à ma parenté élective, qui me tient dans l'attirance de mes guides spirituels, ce n'est pas la question du style ni des métaphores, c'est ce à quoi ils pensent sans arrêt, l'idée du feu, sur laquelle nous gardons un silence complice, afin de ne pas cesser d'y penser. Seulement l'aveu de la peur du feu. Et la compulsion d'affronter la peur.

M.C-G. — ... celle de n'en finir jamais !

H.C. — Bien sûr, ce n'est plus une peur ; c'est un chagrin : il y a tant et tant de choses qui m'échappent. C'est sans fin ce que nous avons à découvrir. Moi, je ne vais découvrir qu'un milliardième, et j'en serai folle de joie. Mais je fais le deuil de tout ce que je n'aurai pas le temps, la force, la capacité de découvrir. Et c'est la vie. Je le pense tout le temps. Je me dis : il suffirait que je me retourne et que je considère les années que je viens de vivre... Une année est pleine d'années. Le temps est infini. Des siècles se sont écoulés cette année. Je pourrais donc écrire des milliards d'années : parce que la chose humaine, est... elle est divine. C'est dieu qui l'a fabriquée — à son échelle.

M.C-G. — J'ai la sensation, souvent, que tu fais des scènes — tu *te* fais des scènes. À partir d'éléments minuscules, que nous connaissons tous, que tu montes au paroxysme, comme une manière de mieux voir, mieux saisir. Comme si la narration faisait loupe : passait l'humain à l'agrandisseur, le travaillait, lui donnait résonance et intensité. Le verre grossissant de la narration permet de faire découvrir ce qui est vécu trop vite, passé déjà, mal vu pas vu.

H.C. — En vérité ça *commence* par l'intensité. Ces scènes, je ne me les fais pas : elles me sont faites. Elles se font. Et elles n'entrent dans l'univers qui va être un univers auquel l'écriture va s'ajouter ou travailler, *que* parce qu'elles se sont fait remarquer par leur intensité.

M.C-G. — Ces paroxysmes ont des accents qui sont proches de certains ouvrages de Dostoïevski. *Les Possédés* par exemple.

H.C. — C'est peut-être là, au point d'incandescence, que je me sens effectivement heureuse en lisant Dostoïevski. Je suis passionnée par Dostoïevski autrement que je le suis par Clarice. Ce que Dostoïevski me donne ne m'est pas directement utile dans l'écriture : mais dans l'émotion. Il y a deux ou trois auteurs qui m'apportent quelque chose à l'âme, dans le domaine où ça résonne sous forme d'émotions, de passions. Il y a Shakespeare, il y a Dostoïevski, il y a Kleist. C'est bien d'histoires de cœur qu'il s'agit : la scène côté cœur.

Le coup de dé+possession, voilà D.(ostoïevski)

Dostoïevski : je pense qu'il est le seul à avoir travaillé sur les territoires qui ne sont abordés autrement que par la psychanalyse. Il y a aussi de cela — moins, ou sous une autre forme — dans Shakespeare. Par exemple, l'ambivalence. Dostoïevski est d'une ambivalence absolue, éclatante, inouïe. Or, l'ambivalence c'est nous ! On est fait pour ça ! S'entretuer soi-même. Mais nous ne voulons pas le savoir consciemment. L'inconscient est là pour « ne pas savoir » : rejeter la moitié de ce que nous sommes. Dans Dostoïevski, il y a notre tout. Tous ses personnages sont démoniques. C'est-à-dire tous possédés. Nous sommes des possédés. Nous sommes des possédés et dépossédés. Dépossédés de nous-mêmes mais aussi dépossédés de la possession... et c'est bien cela notre malheur. Quand j'écris, ce que j'essaie de faire c'est de *ne pas perdre* — je ne dis pas reprendre — les phénomènes de dé+possession et ce qu'ils nous apprennent. Le coup de dé+possession, voilà D(ostoïevski) : perdre et gagner s'étreignent indéniablement et *sans fin*. Et Dostoïevski, lui, il les met en scène. Je pense aussi qu'il les met en scène

> Sans Shakespeare, sans Homère, sans : la Bible, Kleist, Kafka, Dostoïevski, je n'aurais jamais pu vivre, et plus tard sans O.M.A.A.-C.L.P.C.M.T.N.S.J.D. — je n'aurais jamais pu vivre.

avec des possibilités dont nous sommes privés, qui sont des possibilités romanesques ; mais qui sont également, peut-être, des possibilités culturelles.

M.C-G. — Dostoïevski met en scène des possibilités « impossibles », des personnages « impossibles », insupportables, qui relèvent de la folie. Comment considères-tu la lecture et l'écriture romanesque de la folie ?

H.C. — Ce qui me rend folle de Dostoïevski c'est que dans son œuvre il y a les gens qui vivent au plan du général, de la morale, ce sont les gens bons méchants délirants dramatiques, la faune humaine la plus complète, tous ont une référence à la loi morale. Et puis au plan de l'absolu il y en a un : c'est l'Idiot. Celui qui a renoncé. Cela ne se voit peut-être pas d'abord, parce qu'il est décrit avec une telle vivacité, il est tellement présent, qu'on peut ne pas se rendre compte que c'est l'Idiot-même, *idiotes*, descendu de la planète de l'absolu sur cette terre. Il est quelqu'un qui a renoncé. L'origine de la renonciation se situe en arrière du texte, avant le texte, elle nous est racontée. Certains événements sont des collisions entre le plan de l'absolu et le plan du « général ». L'événement le plus spectaculaire est à la fin du livre : L'Idiot (le prince) aime Aglaia, il va l'épouser, (cependant qu'il y a un appel qui vient sans cesse de Nastasia Philippovna, la femme perdue). Nous avons le sentiment que quelque chose qui avait commencé dans le chaos dans la détresse la douleur, va trouver une résolution heureuse, que ce qui va triompher c'est l'amour comme bonheur et simplicité, que ceux qui aiment vont s'épouser. C'est ne pas compter avec le diable toujours là : le prince, (le diable divin, le diable en tant qu'excès de Dieu) entraîne Aglaia chez Nastasia Philippovna. Entre le prince et Aglaia il y a véritable amour, et entre le prince et Nastasia il y a passion. Il ne l'aime pas, il est « en passion » avec elle. Et dans une scène vio-

> Le malheur de Nastasia Philippovna, c'est qu'elle ne savait plus qui abandonner, à qui s'abandonner.
> — C'est un jeu
> — Dans le jeu entre victime
> et bourreau
> Il y a quelqu'un — moi je m'en suis remise.

lente théâtrale, il est sommé par les deux femmes de choisir. Cela ne veut rien dire, choisir. Mais comme il est sommé de choisir il choisit Nastasia Philippovna qu'il n'aime pas, il dit qu'il va l'épouser alors qu'il est fiancé avec Aglaia qu'il aime. Au plan du « général » c'est une scène monstrueuse à tous les niveaux. C'est un assassinat, un carnage. Mais ce n'est pas le plan de la morale qui domine à ce moment-là. Les derniers chapitres sont une longue préparation du mariage du prince avec Nastasia Philippovna. Toute la ville y participe. Les amis se posent des questions, parce qu'ils appartiennent au plan du « général ». D'une certaine manière ils aiment aveuglément l'Idiot, et de temps en temps ils ouvrent un peu l'œil et se demandent ce que tout cela veut dire ? Ils lui demandent pourquoi il veut épouser cette femme qu'il n'aime pas et abandonner la femme qu'il aime. L'Idiot répond. C'est qu'il a renoncé à lui-même depuis très longtemps. Il y a un choc meurtrier entre les deux plans, le plan du « général » et le plan de l'absolu, qui ne peuvent pas se rencontrer sans qu'il y ait désastre. Il y a un choc entre celui qui imite Jésus-Christ sur cette terre et les autres. Cela veut dire qu'on ne peut pas imiter Jésus-Christ sur cette terre. Qui imite Jésus-Christ sur cette planète tue. Le plan de l'absolu rôde, divise, tranche, tue, sur cette terre.

M.C-G. — Et les noms, on parle des noms ?

H.C. — Tu me disais que les noms te déroutaient...

M.C-G. — Les noms sont particulièrement invraisemblables, ou bizarres, ou compliqués, et je croyais que c'était fait exprès. Tu dis non, tu as justement de la difficulté à trouver des noms ?

H.C. — Je n'arrive pas à donner de noms aux personnages. C'est un point aveugle ; cela résiste tellement, c'est tellement compliqué. J'ai des hypothèses explicatives, mais qui ne me satisfont pas. Parfois, je me dis que j'ai un véritable interdit. Que la force ou la capacité de la nomination ne m'est pas donnée. C'est si profond, si obscur, c'est comme si je rejoignais l'interdit de chez les Juifs : Tu ne feras pas d'idole. Chaque fois que j'écris un texte, je me retrouve aux prises avec cela. Tous les noms me font horreur, me semblent être des appositions violentes. Je me soupçonne : peut-être que je ne veux pas détacher les personnages de moi ? Pourtant, je n'ai pas ce problème au théâtre. Nommer, me dis-je, c'est de la présomption. Comment oserai-je me donner le droit (divin) de mettre en circulation des personnes ?

Ce qu'on voit dans mes textes, ce n'est donc pas le résultat d'un désir d'attirer l'attention, pas du tout ! C'est un compromis. C'est ce que j'ai réussi à obtenir de moi-même. Des appellations fictives. Un faux nom. Un cache. Un cache-vrai-nom..

M.C-G. — Un faux nom, c'est l'impression qu'on a. J'ai envie d'avancer une autre hypothèse... Ce ne serait pas un interdit de la religion juive...

H.C. — Non mais, je n'y crois pas !...

Le nom est le dehors,
les personnages sont des intérieurs

M.C-G. — ... mais ce serait peut-être pareil, parce que de l'ordre du refus de la contrefaçon. Le personnage, dans le roman, c'est ce qui résiste, le noyau dur : il forme unité. Si tu mets un nom vraisemblable, aussitôt ça adhère, ça cristallise. Je crois que, ce que plus ou moins obscurément tu voudrais c'est, comme pour le tissu déchirable du roman, des noms déchirables. Des noms pas tout à fait « pour de vrai », qui puissent jouer avec le reste du texte, aient la même souplesse, la même fluidité que le texte. Qui ne portent pas à quelque psychologisation du récit. Tu chercherais donc à ne pas être coincée dans un certain réalisme qu'impose immédiatement un nom propre.

H.C. — Ah ! C'est très beau.

> Pourquoi est-ce que j'aime tellement Dostoïevski ?
> Parce que finalement on ne sait jamais (la vérité) si le Prince a aimé N. (avec amour ?)
> A aimé avec amour ?
> ou avec passion ?

M.C-G. — Il faut pour cela que la figure du personnage relève du « figural. » Dans *Déluge*, on arrive à la fin à de véritables figures géométriques, ou algébriques. Il n'y a plus Ascension et David, mais A et D, des points, des mobiles, des déplacements qui forment descriptions de vecteurs, de forces pulsionnelles aussi, désirantes, libidinales... et pas de représentations de personnages. Si ces éléments avaient un nom *propre*, reconnaissable, banalisant, on ne pourrait plus jouir d'un tel éventail de possibilités. De cas de figures. Ni avoir l'impression d'élémentarité, d'exemplarité qui fait soudain le récit de quelque chose de fondamental. On n'aurait qu'une illusion de réel. On ne pourrait plus faire éclater le personnage et lui donner cette valeur « figurale. »

H.C. — C'est peut-être que je résiste à la fixation comme je résiste au titre qui va fixer un texte.

M.C-G. — Cela rappelle en effet les difficultés d'intitulation : tu cherches à rester dans le faire, tu ne veux pas du contrefaire.

H.C. — Par ailleurs, pour prendre un exemple autre que le mien, j'aime beaucoup que dans les textes de Clarice Lispector il y ait des personnages qui ont des noms et des personnages qui n'ont pas de nom. Nous avons : le père, la mère, la femme... tu ne peux pas savoir comme ça me soulage ! (rires) C'est vrai qu'ils ne se défont pas à cause de cela. Mais peut-être aussi qu'ils ne se contrefont pas, en effet. Evidemment, si on commençait à avoir un père caricatural, ou la grand-mère caricaturale, ce serait réducteur. Mais ce n'est pas le cas. Je n'utilise pas l'expression « le père », « la mère », « le frère », « la sœur », mais ce que je fais relève de quelque chose d'analogue.

Déluge se termine par une scène dans un train où les personnages deviennent algébriques. Mais ce n'est pas du tout parce que ce serait mon rêve. C'est parce que dans les scènes de notre existence il y a une mathématique. Cette mathématique est toujours à l'œuvre en réalité. Mais parfois elle est plus prononcée, et au fond, elle est perceptible dans toutes les scènes d'intersubjectivité proprement dites. C'est-à-dire : je te vois, je te vois me voyant, je me vois te voir me voyant etc. Et moi l'auteur voyant cette navette spéculaire qui entraîne des modifications des sujets, j'aimerais bien pouvoir avoir un instrument qui me permette de mathématiser, de rassembler un échange qui se multiplie. Je te regarde me regardant te regarder me regardant... Comment peut-on décrire cela qui existe ? Il y a des

Quand une histoire finit mal
faut la raconter autrement
nous sommes les auteurs de nos histoires
« heureusement » & « malheureusement » c'est nous qui le disons.
Ce qui nous fait souffrir c'est quand l'histoire devient folle.
Faut la guérir (la raconter autrement) faut trouver *son autre récit* (changer de point de vue)

scènes où nous commençons à être dans une telle intersubjectivité que le sujet n'est que de l'intersubjectivité.

Dans le texte de Cerisy pour Derrida, j'ai fait la même chose, de manière très brève : prenons la scène que je décris de deux amants qui sont chacun à un bout du monde. Et tout d'un coup, cela m'apparaît comme un problème de mathématiques : comment est-ce que (je), A, ici, vis un temps qui n'est plus mon temps, qui devient un temps altéré par un temps B qui est à l'autre bout du monde ? Cela c'est littéralement ce qu'on calcule quand on est petits, à l'école : les problèmes de mathématiques, des vitesses différentes, etc... Et dans certains cas, je peux situer aussi la scène à ce niveau problématique. C'est-à-dire pas dans l'intimité, car il y a aussi une extériorité qui nous mène, et nous encercle.

M.C-G. — Cette tentative pour dire la plus grande complexité, je la suis. La contrefaçon gomme la complexité. Tu ne veux pas que les personnages dans la fiction romanesque puissent (se) contrefaire parce que tu te rebelles contre l'assignation, à un nom ou un lieu précis, qui replace d'emblée dans le système de la représentation.

H.C. — Mon ennemi c'est le réalisme sous sa forme banale. Et en même temps, je sens qu'il y a aussi une résistance. Je pense que c'est une faiblesse de ma part.

Cette histoire de noms, je m'en accuse ! Je veux quand même le dire ! (rires) En fait, tout ce que tu dis est juste et me justifie et j'en suis très contente (rires). Mais je me dis : *un nom c'est un dehors*.

M.C-G. — C'est une peau, un seuil. Une désignation depuis l'extérieur mais qui n'est pas sans échos dedans.

Ecrire au présent

H.C. — Peut-être que ce que je n'arrive pas à opérer assez rapidement, c'est le passage entre le dehors et le dedans. C'est-à-dire l'aller-retour : sortir rentrer. Mais peut-être que ça n'est pas faisable. Peut-être que cela fait partie des impossibilités structurelles auxquelles se heurte l'écriture.

Question d'étage où nous installons le chevalet du peintre.
En haut : semblant, ordre. Si on descend sous l'apparence — ça bouillonne.

Etage du rêve: un autre ordre : le plus satisfaisant peut-être parce que c'est un sous-sol, mais qui a une forme.

Est-ce qu'on peut écrire dedans-dehors ? Est-ce qu'on peut passer de l'un à l'autre dans la forme d'une écriture tissée comme la mienne ? Il y a des choses impossibles que j'essaie de faire avec l'écriture. Ainsi je veux *écrire au présent*. Or on ne peut pas écrire au présent puisqu'on écrit après le présent. Et pourtant le rêve de l'écriture c'est d'écrire le présent. Essayer de réaliser le rêve entraîne donc des transformations d'écriture. De toutes les manières. Mais aussi, ça déplace le lieu, le temps de l'énonciation etc. Quant aux noms, c'est certainement la même chose. J'écris probablement aussi à une limite. Je suis sur cette limite. Et parfois j'ai l'impression de la franchir, et parfois de ne pas la franchir. Ce n'est pas une impuissance à créer des personnages puisque, comme je le disais, je peux le faire au théâtre. Dans l'écriture de fiction, probablement, je ne peux pas faire mieux. D'ailleurs comment s'appellent ces textes ? Quel nom leur donner ? Il faut que j'arrive à garder ce que j'ai fait dans *Déluge* : c'est-à-dire que le nom des personnages fonctionne aussi comme signe d'écriture. Même si c'est un nom possible, vraisemblable.

M.C-G. — Notre entretien relève aussi d'un rapport dedans-dehors. La résistance que tu sens est d'ordre intime ; mais moi de l'extérieur, qui lis, c'est à une autre résistance que je pense, d'ordre philosophique. Reprenons l'exemple de l'éloignement de deux personnes qui s'aiment : tu dis, ça revient à un problème de mathématiques ; mais c'est aussi un problème philosophique.

H.C. — Tout à fait.

La poéthique

M.C-G. — Cette résistance constitue l'exigence de l'écriture poétique. On a parlé de l'éthique, de son rapport au texte :on pourrait inscrire ton œuvre sous le signe du poét*h*ique. Mais aussi à la conjonction de la poésie et de la philosophie. Où l'écriture se dégage d'une forme de « réalisme », c'est-à-dire de conventions réductrices, pour se donner toute marge de penser. Devenir un « écrire-penser ».

À cet égard, l'évidence d'une parenté m'apparaît : ton écriture et la démarche de Derrida. Parenté symptomatique du rapport poésie-philosophie tel que des penseurs, Heidegger notamment, l'ont précisé : la poésie peut aller là où la philosophie, non pas s'arrête mais... suspend. Ecoutant certains échos entre tes textes et ceux de Derrida, je

Pourquoi je le vois sur la crête : parce qu'il se situe au point de contact entre les deux pentes, versants, inclinations, côtés au point de renversement de montée en descente, de désir en deuil, de deuil en élan de vie, de toi en moi, d'il en elle...
J.D.
N'aurait pu habiter que dans la langue, lieu où les deux côtés peuvent coexister avec leur dans, leur entre, leur échange, espace des amphibologies. Langue seul medium qui donne le temps à la fois arrêté et mobile d'inscrire l'intersticiel. L'in*terre*sticiel.

vous vois situés sur les deux versants de la même crête. Je me réfère au récit symbolique que tu fais de votre « rencontre » : « La première fois que j'ai vu Jacques Derrida (ce devait être en 1962) il marchait sur la crête d'une montagne d'un pas rapide et sûr, de gauche à droite, j'étais à Arcachon, je lisais (ce devait être *Force et Signification*), d'où j'étais je le voyais nettement avancer noir sur le ciel clair, le pied sur le fil, la crête était finissime, tracée, il marchait sur la cime, de très loin je l'ai vu, sa marche sur la limite entre la montagne et le ciel fondait l'une dans l'autre, il devait parcourir un sentier pas plus gros qu'un trait à la pointe du crayon. Il ne courait pas, rapide, il *faisait* le chemin, *tout* le chemin des crêtes. » (*Quelle heure est-il ?*) L'image de la crête dit assez bien l'exigence qui vous requiert tous deux : chacun depuis son versant différent.

Certitude que C.L. me donne ma « ressemblance » cachée (cachée dans la différence) —
Et J.D. me donne ma différence y compris toutes mes différences.

H.C. — Poésie avec philosophie : je dois dire que c'est pour moi le plus difficile. À vrai dire, je ne peux pas vraiment en parler. Pourquoi ? Je vais dire pourquoi je ne peux pas en parler (rires). Peut-être parce que j'ai une très grande proximité avec Derrida que je considère depuis toujours comme mon autre. Il se trouve que c'est ainsi : parce qu'il est vivant, dieu merci. Clarice, avec qui je me trouve en affinité extrême, peut-être les plus extrêmes affinités, est morte. C'est la chance et l'horreur de l'écriture que de n'avoir de liberté qu'avec les mots, avec ses morts.

Je dirais donc que j'ai une infinie liberté pensante avec Derrida ; j'en ai beaucoup moins dans le parler sur ou à propos de. Rien de moins étrange que cette proximité : c'est comme si tu me disais que je ressemble à mon frère. Rien de plus étrange que cette proximité : c'est ce qui me « saute aux yeux » une fois passée la zone de familiarité. (En ce moment, je suis en train de dire ce que je pense. Cela me remplit d'effroi : penser est paisible et sans risque, dire fait éclater la paix en violence et imprévisibilité.)

Ce qui me rassure, c'est que toi tu aies vu la crête et les deux grimpeurs. Donc, je n'ai pas inventé. D'où tu es (moi j'ai le nez sur la paroi, donc je ne *vois* pas clairement, je *devine* seulement) tu vois des ressemblances ?

Nous sommes du même jardin

M.C-G. — Je retrouve les mêmes préoccupations dans les thèmes, la démarche. Il faudrait presque dire les mêmes douleurs, le même souci pour le don, la dette, l'oubli, l'aveuglement, la mémoire... Voilà quelques-uns des chemins que vous avez en commun. Une certaine manière de cheminement. Presque une gémellité, même si ces approches, la sienne, la tienne, se situent dans des domaines spécifiques.

Ainsi, indépendamment de la démarche derridienne, ton écriture en vient, au bout d'un moment que le livre court, à une dimension mythique, toute tissée en ses éléments, une forme d'exemplarité qui passe par la *fable*. Par exemple la porte de Kafka ; le feu d'Ingeborg Bachmann ; le violoncelle de Celan ; la tuberculose de TB-Thomas Bernhard. Ces éléments ne donnent pas seulement lieu à un jeu relationnel dans le texte de fiction : à déposer, à cumuler, ils forment échos, strates de significations, réfléchissent, font intervalles. C'est une écriture poético-philosophique : à la fois pratique, concrète — et fabuleuse. Qui va, s'en va, s'envole.

H.C. — Peut-être que tu as raison de dire cela. Peut-être que ce qui nous lie aussi, à part une série de coïncidences fertiles — puisqu'il se trouve que je connais Derrida depuis qu'il a commencé à écrire, et cela a été décisif — peut-être que si des rapprochements peuvent se faire, perceptibles par les lecteurs, autrement que par lui de son côté et moi du mien, c'est en rapport avec le fait que nous sommes souvent attirés, intéressés, interrogés, émus ou inquiétés par les mêmes mystères.

Ce qui me frappe chez lui, c'est justement à quel point il est différent de moi c'est-à-dire à quel point je suis différente de lui, *à peine* dif-

> Je m'aperçois que je ne sépare pas, quand je dis « lui », l'homme de l'écrit. Pas plus que lui. Car il est l'homme-qui-écrit. Il trempe sa plume dans son propre sang. Il est toujours en train d'écrire (même quand il n'écrit pas). Je devrais dire : penser avec mots, phrases. L'écriture est sa nature. Et cet écrire est une extrême fidélité.

férente de lui. Ce que je ne peux éprouver qu'à partir d'une sensation de ressemblance. C'est comme si venant de très loin, ayant fait des millénaires du même chemin dans la même direction, parallèles, parfois s'éloignant, parfois se rencontrant (ou : pare à l'aile ? ou : pare à l'elle ? ou part à l'elle ?..), il y avait en nous, chacun de son côté, la trace du long chemin. Il doit avoir la même impression. Par exemple, le rapport qu'il a à la mort : il l'interroge, je l'interroge. Lui est dans un rapport absolument tragique à la mortalité. Moi, devant l'angoisse, je me sens tout autre (que lui).

La mort, je ne m'y attends pas

Le rapport à la mort est fondateur. Cause. Nous vivons, écrivons à partir de la mort. Tous les deux.

Mais : pour moi, la mort est passée. Elle a eu lieu. La mienne. Elle était au commencement.

Lui : la mort l'attend, ou il s'attend à la mort au futur.

Bien sûr, cette distinction est trop tranchée, trop rigide. Et sans doute les positions s'échangent-elles. Bien sûr, la mort a aussi un futur pour moi. Mais la mort, je ne m'y attends pas. Je m'attends à la passer. Lui : la mort mettra un terme ; toute la vie s'écoule vers lui depuis ce terme ultime. En lui il y a un intense sentiment de finitude — qui peut-être ou engendre ou entretient sa course infinie.

Pour moi, ni commencement ni fin, c'est-à-dire ni fin ni fin, tout est toujours en plein milieu, s'il y a eu fin première, « commencement », c'était un oui, un sourire, c'était deux se reconnaissant.

Moi : la vie s'écoule vers la vie. Entre la vie et la vie il y a un passage inconnu. Lui : craint sa propre mort pour les autres. Moi : je crains la mort de l'autre. Ma propre mort arrivera la dernière. Après. C'est pourquoi je ne puis pas ne pas la désirer. (Mais c'est vivre qui me mobilise : vivre est un tel travail).

Ces « lectures » de la mort, de la vie, de la survie, du temps, de l'amour, de l'autre m'entraîneraient à dérouler tout le parchemin des œuvres. Je m'arrête.

> La « dé-construction » est le geste de pensée qui permet de retrouver le vif de la vie sous les emmurements.

La déconstruction est la démarche, la hache, le moyen. Ce qu'il vise, ce qu'il ausculte, c'est, derrière l'armure, les destins du cœur. D'une part il a le rêve de maîtrise infinie des philosophes et il se rit, se rit des limites ordinaires de la pensée ordinaire, se rit des petites ambitions humaines des mortels, tant sa puissance pré-voyante et pré-dictionnelle est vaste. D'une part il touche vivant à la postérité. De l'autre il voit sa mort quand même et il pleure.

M.C-G. — Il y a une accentuation, un accent semblable : la langue est différente : mais le penser se reprend à l'infini. Vous partagez l'écriture de l'indécidable. Et un rapport fondamental au biographique. Ou plutôt à *l'intime*. Derrida est un des rares philosophes à questionner l'intimité de la relation au corps. Il met son corps en jeu par une interrogation qui a la force de ne pas mentir. Cela est proche, quoiqu'avec les expériences et les signes d'un corps différent, des questions que tu poses par l'exercice de l'écriture poétique.

L'indécidable c'est la chance de l'autre

J.D.
Un dé-menteur, un dé-manteleur, *né*.
Il a le secret du non-mentir.
Le secret c'est : *un pas-de-plus*. Quand tu arrives « à la fin » (d'une pensée, d'une description etc.) fais un pas de plus. Quand tu as fait un pas de plus, continue, fais le pas suivant.

H.C. — Pourquoi j'aime « l'indécidable » : parce que c'est la chance de l'autre. Parce que la personne en qui respire l'indécidable ne peut que respirer la bonté, c'est-à-dire : la prise en compte ou le souci de l'autre que moi.

La pensée de l'indécidable est la pensée de tolérance, la pensée non tranchante, la pensée capable de concavité, de se creuser pour faire place à la différence. L'indécidable pense toutes les possibilités, toutes les places. Dans l'écriture de J.D. s'inscrivent toujours les multiplicités de lieu, de voix, d'identité, non pas parce que J.D. veut être tout, mais parce qu'il ne rejette pas les incertitudes de qui et où. Il ne sait jamais. Avec lui on ne *sait* jamais. Apprentissage de l'humilité.

De manière inaugurale, quand j'ai commencé à écrire, la première personne à qui j'ai montré mes textes était Derrida. J'étais dans un tel désert, un désert absolu que personne au monde pas même moi ne peut se figurer maintenant. Désert entraînant un effet d'atemporalité. Il n'y avait pas de temps. La présence de J.D., que je lisais, s'inscrivait dans l'espace sans temps où je demeurais, comme s'inscrit en moi la présence contemporaine de Montaigne — ou mieux encore d'Archimède, tel que, évoqué par mon fils, il m'apparaît, bien vivant sur son sable, écrivant aujourd'hui comme il y a 2500 ans, et découvrant toujours les expériences de pensée, les secrets, les leviers cosmiques.

Et curieusement, c'est avec l'apparition du temps, à partir du moment où je suis sortie de mon désert absolu —même s'il me reste du désert intérieur — et où je me suis avancée dans une scène qui était surpeuplée, grouillante de textes, des productions de ce demi-siècle que je découvrais, qu'il y a eu soudain une autre forme de désert ; comme un désert surpeuplé. Ce que je lisais me faisait un effet exilant. L'époque n'était tellement pas mon lieu ! Je me suis sentie dans une étrangeté. S'il n'y avait pas eu Derrida, je me serais crue bien folle. Le premier moment a donc été : la familiarité totale. Le deuxième moment s'est affirmé par rapport à un environnement. Le temps passant, je continue à me dire : s'il n'y avait pas Derrida, je me sentirais très seule au monde — dans l'espace de la langue française... Il y a quelqu'un qui m'a fait cet effet, mais autrement, et je l'ai beaucoup dit, c'est Clarice Lispector, dans l'espace de la littérature en général, et parce que incontestablement femme.

Pour revenir à l'écriture qui se reprend : c'est tout à fait vrai. Il a un rapport à l'écriture dans lequel je retrouve, je dirais, mon exigence première, qui est son exigence première.

On lit les langues par la racine

Il a de la langue française une écoute pointilleuse, vibralite, vierge : neuve, jeune. Il ouït aussi vite qu'elle dit. Comme une deuxième langue : comme on lit les langues/par la racine. Parler est un acte merveilleux qui nous échappe : c'est entendre la Langue parler ses langues dans la langue. S'entendre, se surentendre, se sous entendre. Accepter ce phénomène étonnant : la langue, lorsque nous la nageons, nous la galopons, nous en dit toujours plus long que ce que nous croyions dire. Je reconnais son rapport étranger à la langue française. J'ai aussi un rapport étranger à la langue française. Pas pour les mêmes raisons ; mais dès le départ c'était là. Lui, il a fait lui-même le portrait de sa propre étrangeté. Mon étrangeté est toute-puissante en moi. Quand « je parle » c'est toujours au moins « nous », la langue et moi en elle, avec elle, et elle en moi qui parlons.

> La langue: forêt avec toutes les racines /audibles.

[Écrire c'est avoir les oreilles si pointées pointues que nous entendons ce que la langue (nous) dit dedans notre propre parole au moment même de l'énonciation.]

Archimède c'est le penseur : en tant que le déplaceur.
Il pensait le monde — activement, transitivement, le monde en évolution. Le monde ce n'est pas quelque chose à contempler, penser le monde c'est le faire. C'est un mouvement sans fin. Percevoir le monde c'est le penser c'est-à-dire le travailler.
(Conversation avec mon fils)
Archimède est quelqu'un qui n'a jamais cru à la vérité de quelque chose : que quelque chose était la vérité, non. Croire à la Vérité comme tension, comme mouvement, oui.
géant du déplacement comme Einstein.
J.D. : surgit aussi inexplicablement.
Jamais sans autre
cf. Avec la thermodynamique on découvre l'opération de la différence.
Thermodynamique : ne peut y avoir de mouvement que si tu as 2 sources, si tu as de la différence, un haut un bas, le froid et le chaud. Pour créer du déplacement, il faut que ce qui était en haut descende, que quelque chose évolue.

Hegel aussi essayait de fabriquer 1 mécanisme à mouvement perpétuel qui était une tentative de tuer le mouvement. (Hegel en retard sur son époque scientifique).
J.D. — Archimède ne s'est jamais arrêté.
Toujours plus loin.
J.D. est né à Syracuse en 260 avant J.C.

Quant à ce que tu disais du philosophe qui met son corps en jeu : c'est cela, quand je le lisais au début, qui me le rendait si familier, c'était le fait qu'il était présent en chair et en os, respiration, organes, timbre de voix, dans ses textes. Mais cela me paraissait normal. C'est après coup que j'ai découvert : ce n'est pas normal, à notre époque c'est unique. Il écrit, il a toujours écrit à partir de et *avec* son corps ; avec les expériences gravées dans son corps et à partir de ce qui le traverse ; à partir de sa scène secrète qui alimente la scène qu'il accepte de rendre visible dans son texte — la scène du texte.

C'est vrai, c'est exceptionnel : pour moi, il a été, d'emblée, un homme vivant. Et pas un faiseur. Quelqu'un qui travaille à partir de son corps entier ne ment pas. Il est ce rare quelqu'un qui ne travaille pas de manière histrionique pour capter, par du truquage, l'œil public. J.D. c'est l'humain, c'est l'humaine agonie, l'étonnement de la pensée devant l'incessante double passion qu'est notre vie, la tragédie : nous qui sommes coupables-innocents, nous qui sommes coupables d'être parents coupables d'être enfants, nous qui sommes en même temps parents et enfants, hommes et femmes, nous qui — nous qui sommes infidèles afin d'être fidèles, nous qui sommes blessure, par l'autre, de l'autre, pour l'autre.

Langue inouïe, inusée, virginité, ou enfance de l'oreille. Lexicalité galvanique. On entend les moindres étincelles.

J.D. « à lui tout seul » est la tragédie de tout autre cachée en chacun de nous. Pas besoin de sang sur la scène, ni parricide ni matricide ni régicide, pas d'événements bruyants. La tragédie n'est pas où l'on croit. C'est le travail secret subtil qui tresse chaque bien, chaque lien, chaque mien, avec son contraire. Et chaque viens avec va-t-en. Chaque : tiens avec chaque : prends.

M.C-G.— Prise-déprise. La tragédie de l'intime advient ainsi *dans* (et non pas *à*) mon insu : en ce lieu qui constitue-et-fragilise le moi — mobilise les émois. La tragédie, le travail de la pensée qui tente de la pe(n)ser, sont-ils par suite indissociables du lien biographique ? De la terre.

Mais on ne peut toucher terre, pas plus qu'on ne peut peindre le propre portrait. Tu pars écrire avec des expériences, des notations, des blessures. Mais tu précises : « Ce n'est pas une confession » (*Déluge*). Et en effet ça ne peut pas faire une autobiographie, non pas parce qu'il y a fiction — toute autobiographie est fictionnelle — mais parce que ce ne sera jamais que l'autoportrait de l'aveugle — tu le dis dans *Jours de l'an*. L'autoportrait de l'aveugle : c'est l'autre toujours qui fait le portrait, en un jeu de renvois sans fin — de toi à l'autre aux autres toi(s) etc. Portrait de l'écorché. Il ne peut y avoir écriture autobiographique parce que ledit « pacte autobiographique » qui codifie le genre est inopérant. *Les voix* le font voler en éclats, la mise en scène des voix dans le texte, laquelle va contre toutes règles d'identité romanesque.

Quel est le statut de l'écriture qui puise ainsi ses éléments au plus près de l'expérience vécue et qui pour autant ne fait pas d'autobiographie ? Tu as à propos de Derrida et de *Circonfession* des mots que je dirais, il me semble, à propos de tes textes : « Je s'accoude au bord de moi et tend le cou, avance un peu la tête hors du temps pour considérer moi. » « Circonfession, c'est passer la tête hors de la tente de soie, passer la propre peau, passer la propre mort pour attraper la propre vie par les cheveux. » (*Quelle heure est-il ?*) J'écrirais cela d'Hélène, pensé-je. Là-dessus, relisant des choses anciennes que j'avais oubliées, j'ai trouvé dans *Sorties* un mot aujourd'hui étonnant — que je ne pouvais pas recevoir ainsi autrefois — le mot : *circonfusion.*

H.C. — Ah bon ? Où ?

M.C-G. — Dans *La jeune née* : il y a le « mur de la circonfusion », sorte de barre de séparation que l'écriture s'attache à abattre. Ce mot consonne à présent avec circonfession ; je me suis dit : voilà, elle fait de la circonfusion (rires) ! J'entends à la fois fusion et confusion : tu parles de toi par les autres, tu retraverses les textes de Clarice Lispector, de Marina Tsvetaeva, de Kafka ; ne peux te circonvenir, faire le tour de toi que par l'irruption des autres. L'écriture paraît aller, par rapport au point de départ biographique, selon une double voie : à la périphérie du moi par les autres ; à l'intime par les intersections de ces tiens-autres. Bien sûr,ce sont là des interrogations.

C'est la version de l'aveugle

H.C. — La provenance du matériau dans l'écriture, elle ne peut être que de moi. Moi ce n'est pas moi, bien sûr, puisque c'est moi avec les autres, venant d'autres, me mettant à la place de l'autre, me mettant les yeux de l'autre. Ce qui signifie qu'il y a du commun. Tu dis qu'il ne peut pas y avoir d'écriture autobiographique, ça j'en suis bien consciente. Il peut y avoir ces fractures du moi passionnantes que sont les confessions. Ce sont pour moi des œuvres, des livres. Appelons cela autobiographie, mais c'est une version. C'est la version de l'aveugle.

Ce que j'aime chez lui comme j'aime la *vérité même*, c'est l'expression de la vérité, c'est la *flexion* (la génuflexion, l'ingénuflexion) la façon dont sa pensée fait *toujours corps* avec les objets (de pensée) dans leur flexibilité, la façon dont il ne pense jamais en spectateur debout (ou assis) à l'extérieur de la piste mondiale, mais dont toujours il pense le monde dans le monde, en épousant les mouvements, les tracés, en ne se séparant pas de la danse tantôt rapide tantôt immobile des êtres.

Quand tu disais : j'aurais pu écrire cela d'Hélène, je pensais : peut-être. Et pourtant je sens qu'il y a là une différence entre la position de Derrida et la mienne. Par exemple : il me semble — [mais peut-être que je me trompe : tu vois, là, comme je suis obligée de parler de moi, je rentre dans l'incertitude (rires)] — que lui, je le décris différemment. Son attitude à la fenêtre de lui-même : c'est une façon de faire travailler la jalousie de soi-même, de moi à l'égard de moi. C'est ce qu'il exprime dans le regret de ne pas avoir été là à sa propre circoncision. Un rapport endeuillé à soi-même. C'est ce que je reprends à propos de Stendhal : Ah comme j'aimerais le connaître ! (Ce Stendhal ou ce Beyle, ou ce Brulard.) C'est dommage, c'est la seule personne que je ne connaîtrai jamais. Envie magnifique et cruelle en vérité : il y a quand même quelque chose d'incroyable à se dire que l'observateur des êtres humains, Stendhal, Shakespeare, « le miroir promené le long des routes », aura été le seul à ne pas avoir été observé par l'observateur. Moi, je n'ai pas cet affect je crois. Ma curiosité — puisque c'est une question de curiosité, de désir — ne porte pas sur le : ah celle-là j'aurais aimé la connaître, mais sur des phénomènes concrets, présents. Ce n'est pas une jalousie du passé ni la jalousie au futur antérieur.

Archimède pensait comme ça : chaque fois qu'il a trouvé quelque chose il s'est mis à critiquer son mode de découverte et à chercher d'autres modes de démonstration. Il se déconstruisait.
chercher à rendre la démonstration indépendante de la découverte. Pas prendre la découverte pour prouver Prenait en compte la *subjectivité.*
Archimède dit: ce sont des « expériences de pensée », autrement dit ça vient *de moi.* « Donnez-moi un point d'appui et je soulève le monde » — et il savait que la terre était ronde et qu'il n'y a pas de point d'appui ; il n'y a pas de point fixe.

Par exemple, Derrida évoque dans *Circonfession* « ce qu'aura été pour moi la question du sang, » dit-il. Dans toute sa vie. Mouvement de rassemblement passionnant. Je reconnais chez lui cette tournure exploratrice géniale, qui l'amène à découvrir des structures, des logiques, jamais encore pensées, à dessiner les cours de fleuves qui coulent dans les zones « in(terre)conscientes ». Or je sens que, tout en étant fascinée par ce cheminement, je n'irais pas par là : c'est, je crois, le geste long et large de rassemblement, l'aptitude diachronique que je n'ai pas.

Autrement dit : j'ai un rapport différent à la garde, à la perte, à la persistance du passé etc., à tous les affects, émotions, attitudes, que suscitent les mystères du temps, à l'oubli, la mémoire, l'anamnèse. Ce sont là des thèmes qui m'occupent (lui aussi), et auxquels je réponds avec une autre musique que la sienne.

Mais ce qui va mobiliser mon attention pensante, c'est le surgissement d'un signe, d'une insistance, dans le fleuve vital, une hantise inédite, l'apparition d'un sentiment inconnu. Fantasmes, fantômes, figures (de rêve, de pensée), nous changeons, nous sommes nous mêmes, au présent, le lieu d'innombrables événements. J'ai l'instinct de repérage. Je suis astrophysicien des astres minuscules. Evidemment, c'est une métaphore. C'est aussi un désir de myope (rires).

M.C-G. — Le désir de la longue-vue ?

H.C. — Longue-vue et microscope. Et jumelles (pour le mot). Je dois à mon extrême myopie certaines des expériences hallucinatoires les plus fantastiques de mon enfance : escamotages de rues, substitutions, métaphorisation et métonymisation du monde et des personnes. Et surtout le besoin — indissociable de ma nature même, de ma façon de voir et donc de penser — de tout aller voir de très très près *afin* de voir, et par conséquent, le développement d'une vision hyperattentive du détail, mon approche de fourmi scrutatrice, ma sensibilité au moindre signe. J'ai aussi des oreilles d'aveugle ; puisque je me sers de mes oreilles pour mieux voir. J'ai aussi un imaginaire d'aveugle, car il y a des heures nocturnes où je ne vois pas. J'ai toujours su que ma voyance était née de mon aveuglement ; que mon désir passionné de penser plus loin venait de l'effort fou de mes yeux cherchant à percer les ténèbres. Et aussi : il en est de ma myopie comme de l'écriture : ce sont des infirmités congénitales fertiles. Je n'ai jamais connu l'état d'une personne dont les yeux voient « le monde-comme-il-est-supposé-être-vu-par-des-yeux-humains-voyants » ; je n'ai jamais connu l'état d'une personne capable de vivre sans le secours d'un instrument magique tel que l'écriture. (N.B. : la combinaison compliquée de myopie et d'astygmatisme a toujours empêché que je puisse être « corrigée » — comme on dit. Je suis incorrigible.)

Très complexe à développer — tout ce qui est perdu n'est pas perdu — ce qui est perdu est perdu —
Pas de crainte. Pas de regret : soit.

Oui, je dois beaucoup à cette chance oculaire. Ma myopie est mon secret quotidien. Je vois l'invisible plus facilement que le visible.

Donc, je ferme les yeux, et je vois le paysage de l'âme, son enfer, son ciel. Et je me dis : mon dieu, voilà « une étoile » que je n'avais pas vue. Alors qu'elle était là, évidemment. Je dis « une étoile », c'est plus ponctuel. Par exemple, tu parlais tout à l'heure de la porte de Kafka, de la tuberculose de Thomas Bernhard : évidemment tu vas me dire : ce serait l'histoire de la tuberculose de Thomas Bernhard. Mais je préfère ne pas le dire comme cela, c'est vrai que je suis un personnage plus proche du *théâtre*, de la *scène* du corps, que Derrida : je ne vais pas faire la philosophie des larmes parce que je vais employer ma force à travailler sur les phénomènes physiques qui accompagnent les larmes (mais qui sont des indicateurs du sens des passions). Qui vont ensuite se raccorder à une philosophie etc.

M.C-G. —Pas de biographie en effet : on entend par là, historique, collecte... et de ce point de vue, ça ne correspond pas à ta démarche. Par contre, il me semble que je t'entr'aperçois, dans un certain présent de l'écriture, « sortant le cou », sortant une de tes têtes qui tente de regarder vers l'autre.

> Question du temps du deuil : Je ne pleure pas d'avance — je ne précède pas —
> Sentiment de la grâce plus forte que tout chez moi —
> Dans le combat entre la joie et le deuil :

H.C. — Pas la tête. Le corps. Les entrailles. De l'âme aussi. Je pense que je suis plus circonscrite. Ce que Derrida exprime parfois, c'est une curiosité vitale à l'égard de ces espèces de scènes primitives qui nous auront échappé et qui auront été cause de lui. Je pense ne pas avoir en moi de désir ou de projet aussi vaste. Je n'ai pas cette intelligence de physicien sublime. C'est-à-dire que c'est moins « l'énigme de moi », c'est plutôt une soif du phénomène d'un instant. Bien sûr, parfois je « re-monte » vers la source. Mais je suis peut-être plus portée à l'étude du symptôme.

Peut-être que je me trompe. Peut-être que ce que je ressens est totalement faux. Je ne me connais pas, je ne devrais rien dire sur moi.

moi comme premier autrui

M.C-G. — Symptôme est juste. Lié à la tentative de saisir ce qui est de l'ordre de l'instant. Mais tu en es tout de même la scène... Tu es le matériau, le corps, les nerfs, la direction...

H.C. — « Les jambes coupées », c'était des mots, jusqu'à ce que ça m'arrive. Je ne peux travailler, noter, essayer de comprendre *pourquoi* et comment on a les jambes coupées, me demander ce que ça veut dire, que si je commence à le noter sur moi-même ; moi comme premier autrui.

Quant à passer par les autres, c'est parfois le cas ; pas toujours. Il y a beaucoup de textes où il n'y a pas traversée. Il me semble que dans *Déluge* la présence d'autres-en-littérature est plus faible, non ?

M.C-G. — Il y a Clarice.

H.C. — C'est une fiction... C'est un nom. Clarice est un synonyme.

M.C-G. — On est toujours dans la fiction : tes-autres-en-littérature, tu les réécris, les remets en scène. Tu les déplaces, les transportes sur ta propre scène et sur d'autres, les prolonges, leur fais écho.

> Quand on commence à se voir dans l'autre. On se regarde en béant, on voit sa béance.

H.C. — Je me demande si je ne fais pas cela pour des raisons secrètement éthiques : je me permets d'emprunter des personnages qui sont à la fois des personnages vrais, qui ont une étoffe (ce que fait Shakespeare) qui ont existé et qui, en même temps, en somme ne craignent rien. Ils ne craignent rien car ils sont morts — et parce qu'ils sont forts. Parce qu'ils ont déjà, en eux-mêmes, à leur disposition, cet autre monde qui est le monde de l'écriture. Alors je ne me sens pas coupable : même si je leur invente des vies, ils sont d'abord défendus par leur propre œuvre (*i.e.* leur propre vie) qui est disponible, on peut aller vérifier. Alors que si je m'emparais d'un personnage vrai qui n'a pas laissé de mémoires ou des archives, je pourrais lui faire du tort à l'inventer.

M.C-G. — Ils sont forts parce que ce sont des êtres à la fois fabuleux et exemplaires. La réécriture les place dans une surdétermination telle qu'on peut atteindre, avec eux, le niveau mythique, la légende.

H.C. — Sans doute. Ils viennent sûrement à la place des personnages de Shakespeare, personnages historiques ou mythiques, ou légendaires. Empruntés à Plutarque... Je ne peux pas emprunter des personnages à Plutarque. Restent comme « héros » les artistes ; avec une dominante du côté des écrivains. Mais il y aussi des peintres.

M.C-G. — Peintres, écrivains, mais pas seulement : leur vie écrite est tissée de choses quotidiennes. La R5 par exemple a une présence aussi singulière que ces personnages : petite auto, elle devient fantastique, fabuleusement liée à des aventures russes, à des chemins inattendus...

H.C. — La R5, c'est le mouchoir d'Othello.

M.C-G. — Mettre en scène tes autres est une manière « d'écrire à l'étranger » — au sens où Rembrandt, dis-tu, ne cesse de « peindre à l'étranger ». Tsvetaeva, TB, Clarice, c'est comme la petite porte, au fond, dans le tableau de Rembrandt. Tout peut arriver.

H.C. — Je me sens une grande liberté avec eux, une liberté peut-être même excessive. J'ai le sentiment qu'ils ne risquent rien avec moi. Soit je dis des choses que je pense vraies : par exemple, je vois apparaître des structures comme Ingeborg Bachmann et le feu — mais cela me paraît lisible par n'importe qui. Soit je me permets des scènes totalement fictives en sachant que toute personne qui a connaissance de mon personnage, saura d'emblée qu'il s'agit d'une pure fiction. Ce n'est d'ailleurs pas une fiction réductrice ou rabaissante.

M.C-G. — On est dans le théâtre de l'écrire. Alors : pourquoi nommer l'écriture ? Pourquoi lui donner un nom et lui donner le nom d'Isaac comme tu le fais dans *Déluge* ?

H.C. — Ah ! (silence)

M.C-G. — C'est la première fois, c'est un pas de plus. « J'aime. "Isaac" : c'est le nom que j'ai donné à mon amour, pour qu'il ait un nom. Parce que si je dis simplement j'aime "écrire", ce n'est pas ça. C'est un tel mystère. C'est l'autre. Ce n'est pas moi. »

H.C. — Oui, je ne sais pas. C'est sûrement que c'est un coup d'écriture, ou de fiction. Peut-être que je ne devrais pas élaborer à ce propos. Est-ce que ça paraît inconcevable ? D'appeler l'écriture « Isaac » ?

M.C-G. — C'est étonnant. Saisissant. Cela donne une *présence* insoupçonnée. Absolue. Sans qu'on sache quoi. En même temps, c'est très concevable dans le réseau du livre. David peut devenir minuscule, et ascension, et d'autres choses : dans cette « logique », pourquoi l'écriture n'aurait-elle pas nom Isaac ? C'est beau : mystérieux.

H.C. — Ça doit garder son mystère.

> *Sans mes livres je ne pourrais pas vivre.* C'est ma définition. Chaque fois que je dis cela, il me semble entendre une explosion de voix.
> je me serais suicidée.
> Chaque fois que je me suis exprimée à ce sujet, j'ai été vivement attaquée par les regards muets de mes proches.

Mais je peux dire, quand même, par exemple, que ce nom traduirait l'effet d'incarnation, un effet ambigu que petit à petit j'ai vu se manifester — à travers les années, à travers les vies — et qui est quelque chose avec quoi j'ai fort à faire ; que je ne peux pas résoudre et que je ne résoudrai peut-être jamais parce que je ne suis pas en situation de le faire : c'est la question de la présence de l'écriture vécue comme tiers : du fait que quelqu'un écrit et de ce que cette présence entraîne comme conséquences dans les relations interpersonnelles.

Cette question, la vie m'a obligée à me la poser sur un mode douloureux : comment l'écriture est vécue comme un tiers dans toute relation duelle. Pour moi ce n'est pas un tiers — je ne me sépare pas de l'écriture, je n'ai commencé à devenir moi-même qu'en écrivant. Mais elle a une fonction séparante. J'étendrai cela très loin. Je commencerais par la relation d'amour, d'amitié, les relations familiales. Il y a un tiers. Je ne le vois pas mais je vois que les autres le voient. Et je ne sais pas ce que ça donne. Je soupçonne que ça donne des choses pas très bonnes (rires). Voilà *une* réponse. Il y en a beaucoup d'autres.

M.C-G. — Je ne connais pas de coup d'écriture de cet ordre-là : qui concrétise en relation amoureuse, passionnelle, ce qui nous dépasse et qui est désir, pulsion d'écriture. Je ne sais pas où cela va conduire.

H.C. — Je ne le sais pas non plus. Mais j'ai pensé que le moment était venu de l'inscrire.

M.C-G. — L'écriture a une fonction séparante, c'est vrai. Elle a aussi une fonction réparatrice.

> Sans — je ne pourrais pas vivre. Je serais morte. Mais maintenant je ne veux plus me taire par peur de reproches. C'est une trahison de la vérité 100%. Ne pas dire ce que l'on pense par crainte de désapprobation est un suicide et un assassinat.
>
> C'est pourquoi j'ose : sans — je ne pourrais pas vivre. Que se passerait-il ? C'est encore à imaginer.

H.C. — Elle répare l'auteur. Mais elle ne répare pas la relation. La personne qui écrit se sent innocente ; innocente d'écrire. Ce qui lui revient depuis le regard de l'autre, ce n'est pas du tout cela. Il lui revient quelque chose qui ne se dit pas. Ne peut pas se dire. Parce qu'on ne voit pas comment l'ami/e, l'autre, pourrait ouvertement accuser la personne qui écrit d'écrire. (Ce n'est pas faute ou crime explicite). Et pourtant, dans des zones peu explorées, avec beaucoup d'ombre, je sens que ça ne se passe pas bien. Que d'une certaine manière, cela fait du mal. C'est très cruel. C'est reçu comme l'existence d'un ailleurs. C'est un ailleurs. En quoi cet ailleurs serait-il dommageable ? J'en ai parlé avec ma mère, qui est d'une générosité absolue. Elle me disait : mais chacun son ailleurs, après tout. Quand quelqu'un travaille... un médecin par exemple, il a sa profession. Mais justement, ce n'est pas exact.

M.C-G. — Ce n'est pas un travail de la même qualité.

H.C. — Toute pratique, toute activité qui se passe à l'extérieur d'un couple, peut engendrer de la jalousie, de l'inquiétude. Mais peut-être, l'art plus que tout : dans la mesure où, il faut le dire, il y a une jouissance infinie ; et elle se produit entre toi et l'écriture, toi et la peinture. Et en plus, elle est non-communicable. Parce qu'elle reste mystérieuse, si bien que l'autre a du mal à se l'approprier ; et que, d'ailleurs, il ne veut peut-être pas se l'approprier. Il y a une « intimité » indéfinissable ; c'est comme si elle menaçait gravement, par le fait qu'elle se développe, qu'elle se manifeste, d'abord la capacité d'appropriation de l'autre et même son désir d'appropriation. Car *je* n'a pas toujours envie qu'il y ait trop de toi intime, trop de réserve. Beaucoup de toi et beaucoup d'intimité de toi, c'est moins de moi.

Certes il y a des gens qui aiment l'ailleurs de l'autre sous cette forme. Il y en a. Mais fréquemment, cela engendre toute espèce de formes de mort, de déni, de refoulement, de fuite, d'angoisse. Comme si l'on éprouvait que le développement d'une œuvre est l'engendrement continué d'une deuxième personne — dont on n'a rien à faire.

Je suis sûre que l'apparition de ce personnage appelé Isaac est surdéterminée.

M.C-G. — Le choix même du nom constitue une surdétermination.

H.C. — Il est également dicté par des systèmes de signifiants que je ne contrôle pas entièrement. Isaac dit le rire en hébreu etc.

M.C-G. — Tu dis : écrire c'est vivre. Cela est déjà une certaine réponse à la question : pourquoi écrit-on ? Cette réponse s'inscrit, lisible dans l'allant, le rythme de l'écriture ; qui va très vite, semble opérer dans l'urgence. Comme s'il y a urgence à écrire. Un autre mot me vient : survie. L'écriture, une affaire de survie : vivre malgré, plus, échapper à. Démultiplier l'existence.

Dans l'écriture courant à rattraper l'instant ou l'éclair, la jouissance ne vient-elle pas d'une sorte de compétition avec le temps ? S'agirait-il de gagner du temps ? De *se* donner du temps ?

Gagner du temps, gagner de la terre

H.C. — C'est une question trop grande (rires). Pour moi. Elle est tellement originaire que je ne sais pas si on peut en dire quelque chose... qui ne soit pas une sorte de passage à l'infini — et donc rien...

D'abord je n'ai pas de mémoire d'un temps qui me permettrait de répondre à la question « pourquoi » : comme le besoin d'écrire remonte aussi loin que ma mémoire, si tu me dis : pourquoi tu écris ? celà reviendrait presque à répondre : parce que je vis. C'est non-dissocié. Parce que je ne peux pas ne pas écrire. Mais ce sont deux choses différentes. Parce que je vis. Et parce que vivre-écrire se sont confondus pour moi tout de suite. Dans ma petite enfance. À ce moment-là je ne savais pas ce qu'il adviendrait de moi. Mais déjà je vivais à deux mondes : avec le monde et son écriture ; avec le monde et ce qui était écrit dessus.

Et puis, je pourrais raconter des histoires... ce serait une sorte d'autobiographie (rires). Comme par exemple l'apprentissage des mots que j'ai fait avec mon père. Mon père jouait pédagogiquement avec nous, à cherche-mot. Voilà : c'est lié au commencement merveilleux. Lorsque j'avais deux ans, j'étais déjà en pleine écriture : en train de travailler le signifiant. C'était indissociable de ma vie même.

Ensuite, je suis sortie du lycée et devant moi s'est présentée : l'existence. Et j'ai dit : en tout cas, *pas sans* les livres. La valeur-refuge a toujours existé. La réalité du monde dont j'étais témoin était tellement violente. Comme aujourd'hui : le monde me vient dessus avec une telle violence que je ne le supporterais pas sans un bouclier. Fragile. Invisible.

C'est par peur, par désespoir, contre la réalité —parce qu'il y avait la guerre, parce qu'il y avait la mort, parce qu'il y avait les mas-sacres, parce qu'il y avait la trahison, parce qu'il y avait la barbarie, parce qu'il n'y avait pas de langue, et trop de langues et pas assez de langues, parce que mon père est mort, parce que les juifs étaient massacrés, parce que les femmes étaient exploitées, parce que les arabes étaient désappropriés... voilà. J'ai ramassé des brindilles, des mots magiques.

> *Ne pas retourner* :
> Je ne retourne pas à Oran. N'aime pas revenir ?
> Aime garder embaumé embaumant *Souvenirs d'épices*. Rue Manégat. Nom à odeur d'épices.

Gagner du temps, la compétition avec le temps ? Plutôt, gagner de la terre, fabriquer un sol plutôt que gagner du temps. Mais peut-être que je me raconte une histoire.

M.C-G. — J'associe gagner du temps au travail de l'écriture qui tente de ramener au présent, de réancrer toute activité dans la présentification du livre. D'écrire au présent.

H.C. — Alors ce serait gagner du présent.

M.C-G. — Gagner du présent. C'est-à-dire être présente au passage du temps. Ecrire-vivre le passage.

Jahre Jahre

H.C. — Ce serait d'être absente à son passage qui me ferait de la peine. Mais le fait qu'il passe est pour moi un phénomène parmi d'autres. Comme j'aime ces vers de Celan ! *Jahre* (un vers, à la ligne) *Jahre, Jahre*. Des années, ou : Années. Mais qu'est-ce que c'est des années ? On peut le vivre comme quelque chose d'horrible, c'est-à-dire des années qui sont passées, qui sont perdues. Et cela peut être le contraire : on peut penser qu'on ne perd rien, qu'on est dans une continuité, dans une succession de temps pleins qui s'ajoutent.

Des années. Des années, des années, une accumulation négative : des années et des années : de moins en moins de temps, si on considère qu'on a un capital qui est en train de se dilapider. On peut aussi penser : des années et des années, ça n'enlève rien ; ce que ça a accumulé, au contraire, c'est du temps à penser. On peut penser les années comme des unités extrêmement variables : des petites, des grandes, des vides, des années pleines d'années. Des années. Des années, des années, on pense en général que ce sont des années passées. Qu'est-ce qui nous empêche de penser cela comme des années à venir ? Etc. Mais je connais aussi le temps ni vivant ni mort. Le temps qui ne passe plus du tout. L'arrêt de temps qui remplit l'attente du cœur d'une immobilité éternelle. L'attente qui devient un caillot dans le cœur.

Avec le temps je suis moins dans l'ordre du regret que dans l'ordre de l'urgence. De l'urgence d'être là. Etre là. Peut-être qu'un jour je changerai (rires).

M.C-G. — La seule véritable perte, peut-être, serait que ça passe et qu'on n'ait pas vu, pas senti, pas pensé. L'écriture permet de rejouer cela — d'en jouir.

H.C. — L'écriture me permet de jouir ; elle ne me permet pas de reprendre du passé. Je ne lis jamais mes livres — puisque justement ils sont faits.

> C'est comme pour mes cahiers : je ne veux pas savoir. Pas que le passé revienne.
>
> J'aime le passé passé. J'aime avoir perdu. J'aime Oran que je n'ai jamais revue et ne reverrai jamais....

M.C-G. — C'est le livre en cours, le prochain qui compte.

H.C. — Le en train de, *in progress*. C'est moins gagner du temps dans l'exercice de l'écriture que... le travail : d'être présent au présent... De tenter d'être aussi près du présent que possible, et de l'avoir considéré comme une richesse —quelle que soit sa nature. Cela fait partie de notre dotation, il faut l'honorer, la recevoir. Tout ce qui a été vécu, tout ce qui a été pensé, y compris le pire, reprend, si l'on n'est pas dans la passivité, si l'on n'est pas roulé sous le flot, écrasés, reprend son statut de production, d'action. Donc, ce n'est pas tellement *gagner* du temps ; c'est être actif ; être le sujet de sa vie. Ne pas en être le reste...

Il n'y a pas que cela. Il y a tellement d'autres causes. On écrit aussi pour des raisons beaucoup moins lourdes et beaucoup plus joyeuses que cela. Pour cause de pur plaisir, de jouissance à découvrir. Je ne sais pas bien rendre compte, qui rendra jamais compte de la nature du plaisir qui surgit de la création d'une œuvre d'art : à la fois pour qui la crée et pour qui la reçoit ? C'est si mystérieux que nous puissions être transportés de bonheur par un tableau, par la musique ou par une œuvre littéraire. Car je ne sépare pas écrire de lire.

écrire et lire relèvent du même lieu de plaisir

M.C-G. — Les deux gestes se relancent réciproquement.

H.C. — J'éprouve parfois à lire des plaisirs aussi intenses qu'à écrire. Mais cela ne suffirait pas, c'est vrai. Quand je lis, ça me met en écriture.

Cahiers — pleins de trésors
Cependant : ne pas ouvrir.
Dès que j'ouvre, je ferme. Je ne veux pas voir le vrai visage du passé ??? Sa beauté ??

M.C-G. — Les deux activités sont particulièrement liées : la réécriture, les déplacements, le dispositif différentiel se fondent par l'incessant va-et-vient entre les deux gestes.

H.C. — Ça se rejoint. Parfois je me tords de rire en lisant Stendhal. Ecrire et lire relèvent du même lieu de plaisir. C'est celui-là qui est mystérieux. C'est toujours le sentiment que quelque chose a été retrouvé, un fragment de la nature humaine ; ou bien que quelque chose a été sauvé. Ce qui toujours me remplit de joie, c'est que ce quelque chose qui a été retrouvé ou sauvé avec cet instrument qu'est l'écriture, est facteur de vie et pas de mort. Parce que je pense que ce que la vie quotidienne nous apporte, dans une très large proportion, c'est de la mort. C'est de la haine, c'est du mépris, c'est de la rivalité, c'est de l'orgueil. Alors que l'écriture, du moins celle que j'aime — tout son effort est un effort de réhabilitation ou de salvation de ce qui risquerait d'être perdu ou d'être abaissé, méprisé.

Il y a aussi dans l'écriture une fonction de relève de l'oublié, du méprisé. Pas seulement les grandes choses oubliées — pas seulement les femmes — mais les petites choses méprisées, considérées comme détritus. Et qui pourtant font partie de notre vie. Il n'y a pas que du bien habillé, du noble dans l'écriture.

Ce qui m'enchante : mes expériences dans les autobus. Dans *Déluge* il y une expérience de carrefour. C'était l'histoire d'un chien. Je crois que l'écriture sert aussi à cela : à recueillir ce que Joyce appelait les épiphanies. Des moments où la réalité, sous sa forme la plus modeste, rejoint, d'un seul trait, une possibilité et une promesse d'éternité — un instant qui résiste à la mort.

M.C-G. — C'est une sauvegarde. L'écriture sauve : le lien écriture-lecture, les lectures des autres. Et les lectures qu'on fait de tes textes ?

H.C. — Je ne les connais pas.

M.C-G. — Tu ne les connais pas ?

H.C. — Non (rires), du tout.

M.C-G. — Tu les phantasmes ? Tu écris *pour* : quelqu'un, un lecteur, une lectrice idéal/e, un public ? Pour qui t'est proche ?

H.C. — Non.

M.C-G. — Tu as parlé de la lecture que tu fais ; pas de celle qui est faite de toi. On peut penser que quelqu'un qui écrit, écrit pour d'autres. Que lui importent les lectures, la réception, l'écho. Eventuellement, il pourrait se produire un retour sur l'écriture ?

H.C. — Tu crois, toi ?

M.C-G. — Je ne sais pas.

H.C. — Je te pose la question.

M.C-G. — Non, je ne crois pas. Lorsque j'écris, je ne pense pas aux lecteurs. Cela se passe entre moi et moi, moi et la langue, la page, les images, les livres : c'est un débordement auquel il faut donner forme, un certain ordre. En écrivant, je comprends, découvre la possibilité de comprendre. Dans le travail sur la page se dessinent les nécessités internes du texte. Je cherche à monter des harmoniques, à tisser des variantes où les sections se lisent les unes par les autres. Le texte s'écrit en se (re)lisant. Cela exige une mobilisation des éléments, il n'y a pas de place, à ce moment-là, pour une lecture virtuelle d'après-texte ou de hors-texte.

Par contre, lorsque je crois que je peux arrêter (toujours l'impression de n'en avoir pas fini), il y a des lecteurs qui m'importent. Qui apportent beaucoup : par affinités. J'aime ce qu'ils pensent, lisent, écrivent. Ils ont un visage. Ne sont pas nombreux. Je n'écris pas *pour* eux mais leur lecture est nécessaire. Et suffisante. « Le public » n'a pas d'existence dans le texte. Je vais avouer une chose ridicule : la première fois qu'on m'a demandé — à Cerisy, une soirée amicale — de lire « en public » un texte de fiction que j'avais écrit, j'étais incapable. Un ami qui aimait le texte a lu — et j'étais morte de cette... exposition. Aujourd'hui encore, je n'aimerais pas avoir à faire cet exercice.

Il m'importe que le livre existe, parvienne à être un organisme viable. Vive. Vibre.

Je ne crois pas avoir jamais écrit pour qui que ce soit

H.C. — Je me pose cette question parce qu'elle existe. Je répondrai subjectivement et tranquillement : je ne crois pas avoir jamais écrit pour qui que ce soit. Cela ne veut pas dire que je méprise le lecteur ; tout le contraire. Il ou elle est libre. Il viendra ou il ne viendra pas. Ou elle. Je ne sais pas qui c'est. Je sais seulement : il y en a un. (Ou bien un est une ?) (Mais qui ?). *Devant* qui j'écris. *Lui devant l'écrire.*

Cela ne veut pas dire qu'il n'y a pas une potentialité de lecture : puisque j'écris aussi grâce à l'existence d'autres écritures qui font espace — qui font espace de lecture. Le fait, par exemple, que Derrida était à l'horizon quand j'écrivais, signifiait possibilité d'écriture et de lecture.

M.C-G. —Tu lui as fait lire tes premiers textes : tu avais donc besoin d'une lecture extérieure ?

> J.D. Pensée « scientifique » moderne : depuis des éternités il n'y a pas eu de philosophe qui ait eu une pensée scientifique dans ce sens-là.
>
> Lui-même fait toujours appel au point de vue de l'autre en lui-même. L'autre parle (fort) en lui.

H.C.. — C'était autre chose, c'était absolument inaugural, particulier ; c'était « mon ami en vérité ». J'étais dans l'état de Stendhal se voyant aller une fois mort chez Montesquieu lui demander : alors qu'est-ce que vous pensez de mon livre ? J'étais morte, je n'avais rien à craindre, je désirais la vérité : « Où ai-je été pendant la nuit ? Était-ce dans la folie, ou était-ce dans la ténèbre de l'écriture ? » demandai-je. Je lui ai montré mes premiers textes parce que je ne savais pas si c'était du texte. Et si je les montrai à lui, c'est parce que je l'avais lu. Je les montrai donc peut-être *au lieu*. Ça ne m'intéresserait pas d'écrire pour quelqu'un, même un grand écrivain, que je n'aurais pas aimé lire. D'ailleurs on ne peut vraiment écrire un texte qu'à Dieu (non pas *pour*, mais *à*).

M.C-G. — Nous disons en somme qu'il n'y a pas de subordination de l'écriture à la lecture. Lire-et-écrire : une livraison. On se livre. Audace et perte dans une adresse sans (commune) mesure. La réception de ce qui s'est écrit est un ailleurs de l'écrire ? Un autre-(s')écrire ? S'écrire par l'autre ?

H.C. — Pour en revenir à la lecture des textes que l'on a écrit : bien sûr qu'on écrit pour d'autres ; mais le premier autre, c'est soi-même. Personne ne peut être aussi sévère que soi-même en écriture. C'est bien pour cela qu'on se corrige. On écrit aussi, je le disais, pour tous les autres que l'on a lus, c'est-à-dire en leur honneur. Mais pour des lecteurs contemporains, cela je ne peux pas le penser.

M.C-G. — Toutefois tu as l'expérience du théâtre qui te donne un public, des réactions, immédiatement.

H.C. — Au théâtre, on passe tout de suite à l'acte : tu écris, c'est joué : il y a le public. Et lorsque j'écris pour le théâtre, et pour le Théâtre du Soleil, les comédiens me posent la question de la lecture — si on peut dire. Mais autrement. Est-ce que, lorsque tu écris, tu penses à nous ? Et je disais non. Eux, ils existaient et je les aimais mais j'écrivais pour les personnages que j'étais en train de mettre en scène, et selon leurs exigences destinales et théâtrales.

> C'est un livre à plusieurs anges.
>
> Le train l'a emporté.
>
> Je sens en moi l'avion. L'avion me prend.

De même quand j'écris, j'écris pour le texte. C'est le texte qui est mon premier lecteur. Mon seul lecteur en fait. Je sais que cela les surprenait beaucoup. Mais je pense que je disais une chose juste. Inversement, eux, jouant le texte, me faisaient découvrir des choses, cachées à moi-même, dans le texte. Tout le temps. Parfois d'une manière éclatante. Je me souviens d'expériences extraordinaires ; de m'être tordue de rire à voir jouer une scène que moi j'avais écrite en croyant avoir fait une scène extrêmement tragique. En entendant cette

interprétation, j'ai été saisie : quelle leçon ! On ne sait donc pas ce que l'on fait. Ça, c'était très beau : faire l'expérience du point de vue, du point d'ouïe. Ouïe ou non.
N.B. : Dans le texte théâtral, le public est impliqué, présent activement *dedans* l'espace de la parole. Le public est *un personnage* essentiel sans lequel aucun personnage ne parlerait. Ne (se) parlerait. Le public est le *Se* de tous les personnages.

M.C-G. — Le texte peut avoir des lectures diverses, inattendues, un public — chambre d'échos, ouïs ou non, c'est d'abord un corps qui tient seul, qui n'a pas besoin de projection ou d'incarnation lectrice ?

L'écriture nous dépasse, toujours en avant

H.C. — Ah oui, mais comme tous les textes, il est très heureux quand il est lu (rires). En fait, je ne pense pas qu'on puisse ordonner l'écriture à la lecture ; ce serait vraiment terrible. D'autant plus que, par définition, l'écriture nous dépasse. L'écriture véritable est toujours en avant. Donc la lecture doit être, elle aussi... par là-bas. J'adore chez Stendhal retrouver dans sa fraîcheur son discours sur la lecture. Il y a la fameuse métaphore de la bouteille à la mer, dont se sert Celan, dont se sert Mandelstam. C'est vraiment le phantasme du poète qui confie son cœur écrit à un vaisseau, mais le plus perdu au monde, à la chance la plus minime.

Stendhal, sa version, tu le sais, c'est : je serai lu en 1910 — je crois. Et il le dit avec une telle véracité d'imagination. C'est tellement concret. Un jour il dit : Ah, j'entends un piaulement, c'est mon lecteur qui vient de naître dans la maison d'à côté. C'est quand même un calcul !

M.C-G. — Un calcul poétique.

H.C. — C'est la bouteille à la mer, mais la bouteille est juste là... et la mer est un bras de mère (rires). Savoir que la lecture n'est pas pour aujourd'hui pas pour après-demain mais pour demain, ne pas la renvoyer à l'éternité lointaine, est une forme de courage incroyable. Acte de foi et assurance. Mon éternité commencera en 1910. Une telle confiance mérite récompense.

Sur quoi on écrit

M.C-G. — Pendant que nous parlions tu as écrit : *Sur quoi on écrit.* Sur quoi ?

H.C. — Sur la ceinture du pantalon. C'est Stendhal. C'est l'histoire du commencement de l'écriture dans la *Vie de Henry Brulard* : « J'étais harassé, j'étais en pantalon... j'écrivis sur la ceinture de mon pantalon... ». Ce qui est sublime, c'est d'abord l'attelage. J'étais harassé... j'étais en pantalon... On ne peut pas écrire l'écriture mieux que cela. Voilà ce que fait l'écriture : elle attelle. Les gens qui font des attelages me font éclater de rire. Parce que c'est la vie même : le rapprochement de deux éléments sur le vif. Les sautes de pensées. Les discontinuités dans la continuité. Le troisième, c'est le comble : J'étais en pantalon de [tissu] blanc anglais. J'écrivis sur la ceinture.

M.C-G. — Belle leçon. Commencer à écrire c'est commencer par avoir affaire à soi-même ; ou à ses accessoires : c'est écrire à la périphérie, au bord de soi, sur soi. Son double, sa doublure... ou celle de sa ceinture !

H.C. — Voilà sur quoi on écrit. Début de la *Vie de Henry Brulard* : pourquoi et comment il commence à écrire la-vie-de-Henry-Brulard-par-lui-même : J'ai écrit sur la ceinture, en dedans : je vais avoir la cinquantaine. Je crois que toute ma vie je rirai de cela. Je ne m'arrêterai pas, j'en suis sûre, de rire de cette scène merveilleuse. Du fait que cette scène ait eu lieu, d'abord, car je n'en doute pas. Que cette scène, d'autre part, nous ait été rapportée, qu'elle ait été transcrite. Qu'elle soit passée du pantalon au livre...

Le corps entier,
l'être entier est un théâtre.

Toute ma vie j'interrogerai le secret et la puissance de ce moment. Car je pense qu'il n'y a pas beaucoup d'écrivains qui auront été assez magiques, assez enfants — qui auront gardé une telle enfance — pour avoir et vécu et transcrit un moment aussi clandestin, aussi personnel. Il y a une clandestinité dans la scène, à tous les niveaux. Ce qui est merveilleux, c'est que cette clandestinité ait été extériorisée (hors de la conscience) mais pas plus loin qu'à la limite du moi constituée par le pantalon. Comme si un livre commençait à s'écrire justement dans une zone qui n'est pas du tout ce qu'on pourrait imaginer : qui n'est ni le lecteur — on en a parlé — ni entre moi et le lecteur, ni entre moi et le corps du papier. C'est là entre moi et moi. C'est génial qu'il l'ait effectué parce que, lorsque nous ne l'effectuons pas, nous, c'est parce qu'il y a de l'interdit. Nous ne nous avouons pas à nous-même la vérité du geste. Il y a quelque chose qui nous rend coupables. Nous faisons comme si nous étions altruistes, nous faisons comme si nous écrivions le livre d'abord pour l'autre — ce qui n'est pas vrai. Parce que le livre, nous l'écrivons pour la peau de notre ventre. (*Cf.* Annexe, Extrait n°2)

M.C-G. — Ce qui conduit, non plus à s'interroger sur le « pourquoi ou pour qui on écrit », mais à considérer les circonstances concrètes révélatrices du venir à écrire. De la venue à l'écriture.

H.C. — J'ai commencé à rêver autour de cela : à l'heure de l'écriture, au lieu, à la localisation concrète. La localisation : le pantalon, la ceinture du pantalon, la bretelle etc. Ou encore à ce que faisait Clarice Lispector. Elle n'a pas écrit sur la ceinture de son pantalon parce qu'elle n'avait pas de pantalon. Mais sur des équivalents : des bouts de papier qu'elle avait dans ses poches, des enveloppes, des carnets de chèques. Je sais que les gens font cela. Je me souviens l'avoir souvent fait quand je commençais à écrire. Et ça m'arrive encore. Mais lorsque je faisais cela, souvent, c'était par angoisse. J'étais traversée par une phrase et je me disais : ça va disparaître. Une angoisse naïve : ça disparaît et puis d'autres apparaissent. Clarice Lispector, elle faisait cela quand elle avait cinquante ans. Elle griffonnait quelque chose sur un bout de carton si elle était au cinéma : je crois que là c'est une

Parfois elle était de l'autre côté

Dans le bus enfant comment elle regardait le monde en miroir dans la face externe de la vitre. Voyage dans l'autre monde.

obéissance : l'écriture dicte avec une telle puissance que tu ne dis pas je ne suis pas prête ou je n'ai pas de papier.

Alors : sur quoi ? Je ne vais pas entrer dans les détails infinis des signifiants, des usages de papier etc. mais peut-être qu'il faut penser l'attitude de soumission à l'écriture. Que cette soumission a besoin, pour ne pas se transformer, ne pas être transformée en un frein, d'être assurée ou dotée des moyens de sa propre docilité. Que la matérialité ne résiste pas. Je cherche toujours à avoir des plumes, des stylos que je ne remarque pas. Il faut que ça coule. Si tu commences à être en conflit avec tes stylos tout à coup tu es rappelée à l'extérieur. Tu sors du pantalon.

M.C-G. — Tu veux parler d'une sorte de désacralisation des supports d'écriture ? Certaines écritures sont attachées à un lieu, une heure ; ne peuvent produire qu'avec une certaine plume. Elles ritualisent le geste jusqu'à en faire quelque chose de magique. Il y a chez Mallarmé des notations de cet ordre. Cela peut être aussi la nécessité de marquer une séparation d'avec le quotidien. Une façon de retrait.

H.C. — Je peux l'imaginer, il peut y avoir une magie de la chose. Ce n'est pas de cela que je parle. Bien sûr il y a des lieux propices. Je n'ai jamais compris, parce que je ne peux pas, parce que j'ai besoin de descendre, d'aller derrière la pensée, sous la table, sous le sol, je n'ai jamais compris les auteurs qui écrivent dans les cafés. Cela, je ne pourrais pas : le bruit m'agresse, le monde extérieur m'appelle à l'extérieur. Par contre, la ritualisation, ce n'est pas mon cas, mais je peux la comprendre.

M.C-G. — Tu cherches au contraire le flux, l'absence d'obstacle matériel, tu t'organises pour cela ?

Comme si j'écrivais à l'intérieur de moi-même

H.C. — J'essaie de l'organiser : à commencer par le silence. Par les conditions d'un retrait, oui, les conditions d'un voyage intérieur. Avec le moins de frein possible. C'est pourquoi j'exclus les machines. Je n'ai jamais pu. C'est comme si — ce qui, sans que je me le formule, s'impose à moi — c'est comme si j'écrivais à l'intérieur de moi-même. C'est comme si la page était vraiment dedans. Le moins de dehors possible. Le plus près du corps possible. Comme si mon corps enveloppait mon propre papier.

Alors peut-être que le « sur quoi » va avec la question de l'heure de l'écriture. À quelle heure on écrit. J'écris très souvent à des heures crépusculaires. Pourquoi ? Je ne peux pas écrire au crépuscule, en fait, puisque j'ai besoin de lumière. Mais je prends des notes qui sont pour moi des semences. Il m'arrive de le faire tard le soir, quand je suis couchée. Ce sont des moments de recueillement : à ce moment-là, les choses se rassemblent. Des notes, succintes. Et le matin — avant le jour. Entre nuit et jour.

M.C-G. — Entre chien et loup (rires).

H.C. — On peut dire entre chien et loup. Ce n'est pas ce que je dirais. Je vois où tu veux en venir (rires). Non, c'est vraiment encore à l'intérieur ; encore dans la nuit, à l'intérieur de la nuit. Et lorsque le medium, la parole écrite, a encore la qualité du rêve. C'est-à-dire une puissance de condensation naturelle : qu'il faudra, ensuite, que j'aille chercher en plein jour.

> Ce sont des personnes sans visages
> Des visions sans images
> Des courses sans pas
> On se penche on voudrait qu'il y ait à voir

M.C-G. — Je comprends mieux lorsque tu écris : « la Nuit ma mère impersonnelle » (*Déluge*, p.223), qui désigne la nuit comme un lieu privilégié où la personne s'estompe, un lieu de non-personne. C'est un état de réceptivité plus grande, de moindre volonté.

H.C. — Pour moi, c'est le temps de moindre résistance de tout ce qui fait obstacle à l'écriture : du moi, de la pensée organisée. Cela ne veut pas dire que j'écris la nuit. Je sens que ce sont les moments les plus forts, les moments où l'instance critique, l'instance consciente est la plus faible —je ne veux pas utiliser le vocabulaire analytique — les moments de proximité à moi-même. Je suis dans mon lit dans une plus grande proximité à mon corps.

M.C-G. — La ceinture de Stendhal désigne la proximité au corps ; mais la déplace et fait rire : on écrit sur sa peau, mais ce n'est pas toujours celle qu'on croit. C'est plus complexe : *ma* peau, c'est toutes *mes* peaux. Mes carapaces. Mes ori*peaux*.

Avoir un pantalon à écrire

H.C. — Le vêtement c'est la peau. C'est la peau adoptée, la peau adoptive.

M.C-G. — Ce qui est génial chez Stendhal c'est que —nous parlions du corps du papier — il fait le coup du parchemin. La peau d'autre sur laquelle je (m')écris, c'est aussi une origine de l'écriture et l'écriture originaire : les premières peaux supports de signes.

H.C. — D'ailleurs il le dit. Sur ce mode merveilleux parce que concret. Il dit : j'étais en pantalon de... le mot qui indique la matière est illisible dans le manuscrit : mettons, de tissu, blanc anglais. Il est certain que les propriétés, les traits du pantalon étaient décisifs. Si le pantalon n'avait pas été blanc et peut-être s'il n'avait pas été anglais... Il avait donc *un pantalon à écrire*. Cela c'est la révélation d'un secret. Bien sûr je parle d'un *vrai* texte. Tous les faux textes sont dehors.

Histoire du loup qui aime l'agneau qu'il ne mange pas

M.C-G. — J'aimerais que tu racontes l'histoire du loup et de l'agneau selon la fable de Tsvetaeva : le loup qui aime l'agneau qu'il ne mange pas. Il y a là aussi du jeu dedans-dehors et c'est une belle métaphore pour l'écriture. On pourrait arrêter nos entretiens sur ce récit qui reprend ce que l'on a dit sur l'amour, sur la vulnérabilité, sur le fait qu'il faut beaucoup d'amour pour écrire.

H.C. — Cette phrase splendide, qui demande un peu d'explications, appartient à l'économie de Tsvetaeva. Elle fait référence à un personnage qui réapparaît dans tous ses textes et qui est le personnage qu'elle aime : c'est le diable, l'imposteur cosaque Pugachev qui est redoutable. C'est le personnage de Pugachev dans *La Fille du Capitaine* de Pouchkine qui surgit dans le rêve de Griniov ; se dresse dans le rêve de ce garçon de seize ans, sous la figure du père adoré ; et lorsque le jeune adolescent s'approche du lit de son père qui est en train de mourir, le père — tendre, aimé, respecté — se lève brusquement, saisit une hache, et avec les yeux étincelants se précipite sur son fils. Et le fils s'aperçoit alors qu'il s'agit de Pugachev le cosaque. Il est à moitié mort de terreur. A ce moment-là, Pugachev ne le tue pas. Il lui dit : n'aie pas peur. Avec ses yeux étincelants qui le terrifient et qui le fascinent.

Est donc représentée là une figure magnifique : la figure de l'assassin qui ne tue pas. Davantage : du père violent, assoiffé de sang, qui t'aime *toi* exclusivement. Tu es l'enfant chéri du père meurtrier qui t'épargne. Cette structure amoureuse est celle de Tsvetaeva. Elle aime le loup. Elle n'aime pas l'agneau. Bon, là je suis d'accord ; je ne vois pas qui au monde aime l'agneau.

M.C-G. — Ça manque d'intérêt !...

H.C. — Quel intérêt on a à aimer l'agneau ? Elle, explicitement, dans la scène ou dans la fable, l'agneau l'ennuie et le loup l'enthousiasme. Pas n'importe quel loup. Elle aime le loup capable d'amour. C'est encore plus complexe : elle aime le loup qui aime l'agneau qu'il ne mange pas. C'est-à-dire : qui aime l'agneau *donc* il ne le mange pas. C'est une figure paradoxale : le loup qui dans sa violence contient, cache ou révèle une douceur inattendue. Evidemment, le fait qu'il y ait de la douceur dans le loup rend la douceur plus douce que la douceur banale des gens naturellement doux. La douceur du cruel est une plus grande douceur. Et puis,ça en dit aussi sur le secret du loup.

M.C-G. — Ce qui est beau, c'est : l'agneau qu'il ne mange pas. Un agneau au bord du désastre, sauvé, mais à tout moment passible d'être (re)mangé. C'est pour cela justement qu'il est aimé. Le loup ne le mange pas : *c'est pourquoi* il l'aime : un agneau-pas-mangé-mais-qui-pourrait-l'être.

Pourquoi
le mot innocent est beau
et
pourquoi
le mot coupable
est laid

Si on appelait *innocent* le coupable, ne nous semblerait-il pas moins repoussant

H.C. — Le loup aime l'objet qu'il ne mange pas et donc à propos duquel, à l'occasion duquel, il manifeste sa magnanimité, sa générosité, sa capacité de se priver pour l'autre — de se passer à la fois de nourriture et de l'exercice d'une activité qui le définit. Il est capable de se « délou-iser » (rires) par amour. Mais à ce moment-là, s'il aime l'agneau c'est aussi parce que revient au loup l'éclat, l'irradiation, l'émanation de sa grandeur, de son abnégation. Et qu'il se nourrit, au lieu de chair d'agneau, de son éclat spirituel.

Nous aimons l'autre dans la mesure où nous aimons aimer. Nous aimons aimer parce que c'est une activité qui, en principe, disons pour la moitié, est une activité généreuse. L'autre moitié est tout le contraire : c'est une activité avaricieuse, captatrice, destructrice etc. Mais la part généreuse est gratifiante : nous sommes contents de nous-mêmes. Nous nous aimons nous-mêmes. Nous aimons aimer parce que, en aimant, nous nous aimons nous-mêmes aimant. C'est même peut-être le secret de l'amour : la satisfaction narcissique qui peut se développer dans la mesure où, en effet, elle est engendrée, entretenue, par ce qu'il y a de meilleur en nous. Nous sommes très contents quand nous pouvons être bons — et que, évidemment, ça ne nous coûte pas énormément. Bon, c'est notre économie...

N.B. : on s'aime aimant. On s'aime aimé(e). À être aimé(e) on gagne (le meilleur de) soi. Mais on ne le gagne, naturellement, qu'à le mériter. Et on le mérite à la sueur du cœur. Mais la sueur du cœur est douce.

M.C-G. — La sueur du cœur, ce sont les larmes. Les poètes ont rimé amer-amour. Celles que tu évoques sont sans amertume : on navigue en eaux douces. Selon son cœur, selon sa pente : l'amour a pente douce ?

H.C. — Finalement, l'amour, c'est très facile. Quand on aime, c'est facile ; tout ce qui est difficile est facile. Parce qu'on se paie soi-même en permanence, on peut renoncer sans aucune difficulté à ce à quoi on ne renonce pas sans amour.

M.C-G. — Cela fait de l'amour une relation constitutive du sujet aimant. Il y a narcissisme mais paradoxalement il porte à un dépassement.

On s'aime grand, on s'aime se dépassant

H.C. — On s'aime grand. On s'aime se dépassant. Tout ce qui semblerait être exercices de vertu en amour, est en réalité de l'autosatisfaction.

M.C-G. — C'est quand même du *mieux*.

H.C. — Ah, oui c'est tant mieux ! Tant mieux ! Car grâce à l'amour on peut tout faire. On se fait du bien en aimant. Et peut-être que si on le savait, on aimerait plus parce que c'est très... très rentable d'aimer.

M.C-G. — Il y a l'autre angle de vue : si le loup accepte d'être du non-loup, ou est fasciné par le non-loup en lui, il consent aussi, d'une certaine manière, à exposer sa vulnérabilité. A ne plus faire usage de prérogatives, de force. L'agneau-pas-mangé-mais-pouvant-l'être dit la fragilité (épargnée) de l'agneau mais aussi la fragilité (consentie) du loup. Cela fait de l'amour l'échange de deux formes de vulnérabilité. C'est sa force.

H.C. — Je dis des choses qui peuvent paraître amoindrissantes pour l'amour, ou sévères. Non, je veux simplement dire une certaine vérité : c'est facile d'aimer...*une fois qu'on aime !* Il faut d'abord y arriver ! (rires)

M.C-G. — Exactement : il faut d'abord être dans l'autre monde. Transporté par magie !

moins de moi

H.C. — Et pour y arriver, il faut une force, cette force réelle d'abnégation qui est le renoncement : avant tous les autres renoncements qui suivront, en particulier le renoncement à l'affirmation d'une identité. Il faut s'ouvrir, il faut faire place à l'autre. Accepter un changement d'économie tout à fait étonnant qui se produit : *moins de moi*. Une moindre résistance du moi. C'est aussi ne plus être le premier personnage de sa vie, mais le second. Même si le second peut devenir le premier lors du tournement d'amour. Quand même, il faut une immense force narcissique pour commencer, et après on est récompensé ! (rires) Une fois qu'on a passé le seuil et qu'on se retrouve dans le monde de l'amour, alors tout devient facile. C'est ce passage qui peut paraître difficile.

M.C-G. — En amour, cette situation qui demande renoncement et qui donne gratification entretient le paradoxe : à la fois le désir d'assimiler, d'anéantir, et le refus de le faire...

H.C. — Il faut aussi dire, bien sûr, que nous sommes tous des loups en amour. Je ne sais pas si nous sommes aussi des agneaux. Je crois que nous sommes surtout des loups. On le sait, l'amour est dévorant. C'est le grand drame de l'amour : on veut à la fois dévorer l'autre et ne pas le dévorer. Ne pas vouloir dévorer l'autre n'est pas une marque d'amour, c'est une marque de désintérêt. C'est donc les deux en même temps : on veut à tout prix manger l'autre, et donc c'est un hommage (le désir de l'autre, sous cette forme, est signe de l'amour) et en même temps, on sait que si on le dévore... il n'y en aura plus... Ce double mouvement, il faut le faire tout le temps. Il faut à la fois désirer par-dessus tout, être prêt à tuer pour cela, et pouvoir renoncer à la satisfaction de ses désirs *in extremis*. In extremis. Juste avant de détruire. Mais *quand même c'est facile*. Le passage difficile est facile aussi : il se fait en un éclair. D'un bond. Sans transition. C'est le mouvement éclair de la confiance. Sans réserve et sans calcul. Il faut dire qu'aimer n'est pas de ce monde-ci mais d'une autre planète. Ce qui peut brouiller et tromper c'est que cette autre planète, qui est régie par l'absolu et par la foi, est quand même sise dans ce monde-ci. Si bien que lorsqu'on aime on est soumis à un double régime, celui du monde

Si on me demandait que préfères-tu : abandonner ou être abandonnée, s'agissant d'une personne chère, je n'hésiterais pas, je préfère être abandonnée.

Pourtant rien ne me fait plus peur que l'abandon, mais au moins dans l'abandon je ne m'abandonne pas.

ordinaire avec son économie et ses lois communes, et simultanément celui de la planète singulière où tout est différent. Et ce qui est impossible dans ce monde-ci est au même moment possible dans la sphère d'amour. Les mots mêmes changent de sens quand nous changeons d'étage. Le mot agneau, le mot manger. Dans la sphère d'amour tout est grâce, gratuit, rien ne coûte. Tout est « facile » : rien n'est facile : tout est donné : tout est à donner. C'est que cette sphère, il faut la faire, à chaque instant. Dans la réalité, le malheur c'est qu'on ne voit pas toujours la limite. Parfois on est déjà en train d'avoir détruit sans avoir vu que la limite était dépassée. De toute façon, aimer bien, bien aimer, c'est un travail acharné.

M.C-G. — Ce qui est passionnant c'est que ce n'est jamais acquis.

(C'est seulement dans l'acte d'amour que nous sommes présents)

H.C. — C'est pour cela que l'amour est fragile. Parce que très souvent on se repose ! On s'arrête. Et on n'aime plus.

M.C-G. — L'histoire du loup qui aime l'agneau qu'il ne mange pas, pourrait être aussi une parabole de l'écriture dans la mesure où il y a dans l'écriture (telle qu'on en a parlé) nécessité de s'abandonner, d'abandonner quelque part une image convenue de soi, se laisser aller, pratiquer une perméabilité, une vulnérabilité avec laquelle travaille, non moins, l'écriture ?

H.C. — Je crois que ce qu'on abandonne en écriture ce sont les résistances. Il faut à la fois avoir peur, garder de la peur, et puis traverser la peur. En principe, l'écriture mène à un enrichissement — pas du moi narcissique mais du moi de la personne en travail. Mais en écriture, on n'aime personne. Ou plutôt *on aime personne*. Niemand.

M.C-G. — Il ne s'agit pas de forcer les coïncidences, mais, écrivant, il faut qu'il s'oublie un peu le sujet pour s'enrichir de ce qui serait son non-sujet, autre chose en lui qu'il ne peut rencontrer qu'en sortant. Au-dehors.

H.C. — Mais j'éprouve que s'oublier n'est pas un sacrifice. C'est exaltant d'une certaine manière. D'ailleurs, ce n'est que donner lieu. Donner lieu à l'autre part de moi qui est l'autre, qui ne peut exister, bien sûr, que si je suis là pour le recevoir. Autrement dit : devenir récepteur, s'effacer, se mettre tout au fond, c'est la condition *sine qua non*. Peut-être que cela rejoint l'amour. C'est-à-dire : aimer l'autre plus que soi-même. Mais faire cela c'est bien sûr la meilleure manière de s'augmenter soi-même, indirectement.

M.C-G. — Cela rejoint la difficulté de lever freins et obstacles. Pour quelqu'un qui n'a jamais écrit, ce doit être aussi difficile que le commencement en amour : lever les résistances qui empêchent d'aller vers l'autre-soi. L'aube-soi. Où l'on devient inventeurs : (dé)placés dans une scène qui nous donne l'inconnu(e).

H.C. — Je pense que probablement on aime plus facilement qu'on écrit — ce qui ne veut pas dire qu'on aime bien. Mais on a des expériences beaucoup plus nombreuses d'amour que d'écriture. Parce qu'on ne peut pas ne pas aimer quand on vit. C'est notre ressort. Vivre c'est cela : la recherche de l'amour. Et de ses substituts. Puisque nous faisons aussi la découverte du peu de possibilités d'exercer l'amour. Le peu est d'ailleurs en rapport avec la peur : peur que tout le monde a de perdre. De se perdre. Aussi devrais-je dire, conseillée par la prudence humaine : on ne peut pas ne pas être *tentés* d'aimer. La plupart fuient la tentation. Certains ne la fuient pas, sachant comme tout le monde que l'amour est épouvantable. Aussi épouvantable et désirable que Dieu. Mais personne *ne choisit* : les deux possibilités, — fuir, succomber — nous emportent. Tout est plus fort que nous. Nous sommes tous les sujets de la chance qui s'appelle grâce.

ANNEXES

Extrait 1 : Jacques Derrida, *Fourmis*, Colloque « Lectures de la différence sexuelle » Paris, Collège International de Philosophie, octobre 1990 (paru aux Éditions *Des femmes*).

Fourmi est un mot tout neuf pour moi. Il me vient d'un rêve d'Hélène, un rêve qu'elle a fait et qu'elle m'a donc raconté ces jours-ci sans savoir jusqu'à cet instant comment ce « fourmi » cheminerait en moi, s'insinuant entre des expériences qui ressemblent aussi bien au chant qu'au travail, comme les animaux de la fable, un rêve d'Hélène qu'à ma connaissance je suis seul à connaître, dont je ne dirai vraisemblablement rien, rien de direct, mais dont je relève déjà, puisqu'il y eut épiphanie d'un fourmi dans le rêve, que d'une fourmi il est bien difficile de voir, sinon de savoir, la différence sexuelle, et non seulement parce qu'elle est imperceptiblement noire, mais parce que le mot *fourmi*, dès lors que dans un rêve, par exemple celui d'Hélène, il se masculinise, nous le voyons à la fois soustrait au voir, voué au noir de l'aveuglement mais promis par là-même à la lecture. Une fourmi se voit peut-être mais déjà pour vous mettre au défi d'identifier le sexe de ce petit vivant noir. Quant à *un* fourmi, c'est déjà l'aventure de la lecture et de l'interprétation, ça fourmille de mille et mille sens, de mille et une images, de mille et un sexes, ça se coupe au milieu (four/:mis) ça peut perdre ses deux ailes ou une seule (puisque la fourmi, l'insecte d'Hélène, est un insecte à aile, un insecte qu'on classe parmi les insectes à ailes, les hyménoptères), ça se met, et c'est mis au four, le fourmis en marche, au petit four et au grand four de toutes les incinérations, ça fait, une fois coupé en deux, des phrases à l'endroit et à l'envers, jusqu'au bout ou à mi-chemin, ça donne tout, ça fournit à boire et à manger, la fourme, c'est-à-dire la forme *I*, ça se met au four ou au fournil et la mie et la croûte, c'est bon comme le pain qu'on partage et qu'on mange en famille — et les familles sont aussi des fourmillières — mais c'est aussi à vomir comme l'immangeable même.

Je ne suis pas en train d'écrire une nouvelle fable sur la cigale et le fourmi, ni de suggérer que la différence sexuelle se lit comme une fable, comme si c'était une fable. Si je disais « la différence sexuelle est une fable », la copule « est » permettrait de retourner la proposition : fable, donc toute fable, est la différence sexuelle, ce qui peut s'entendre en de multiples sens. On peut dire que tout récit fabuleux raconte, met en scène, enseigne ou donne à interpréter la différence sexuelle ; ou encore que « fable », à savoir la parole ou la parabole *est* toute la différence sexuelle. La différence sexuelle serait, s'il y en avait, fabuleuse. Il n'y aurait pas de parole, de mot, de dire qui ne dise et ne soit et n'instaure ou ne traduise quelque chose comme la différence sexuelle, cette fabuleuse différence sexuelle. Et qu'il n'y aurait pas de différence sexuelle qui ne passe par la parole, donc par le mot de *fable*.

Cette fable m'a été donnée, comme un mot, par le rêve téléphoné d'Hélène. Et comme je posai tout à l'heure la question « qu'est-ce que donner le mot ? » ou « qu'est-ce que donner la chose ? », « qu'est-ce que donner ? » , « qu'est-ce qu'on entend par « donner » ? » avant le mot ou la chose, j'avancerai la thèse suivante (de façon dogmatique et elliptique, pour ne pas parler longtemps ou tout le temps) : s'il y a du don, il doit se donner comme un rêve, comme en rêve. Pour l'inconscient ou pour la conscience pure, il n'y a pas de don, ni de pardon, seulement de l'échange et de l'économie restreinte, puisqu'il y a reconnaissance, retour symbolique, puisqu'il y a du « merci », quand la conscience d'avoir donné se compense et récompense, quand elle se remercie et refait le cercle mercenaire ou mercantile du salaire à son tour (logique mortelle du « à chacun son tour »). On ne peut donner que sans savoir — et si la conscience aussi bien qu'un certain inconscient sont des figures du savoir, alors permettez-moi de voir dans le rêve la figure au moins de ce don qui se porte entre les deux et au-delà des deux. Non plus le don pour don (don et contre-don), mais le don-par-don, quand il faut (devoir sans devoir) pardonner au don pour interrompre le cercle de la revanche ou briser le miroir du ressentiment, là ou l'on risque de ne plus savoir que donner sait recevoir.

C'est un rêve, bien sûr. Et si l'on ne peut donner qu'en rêvant, on peut seulement rêver de donner. Encore y faut-il la grâce inchangeable et inéchangeable de certains rêves. Encore faut-il savoir rêver. Assez pour y déjouer le cercle avare du savoir absolu.

Fourmi, ce n'est pas seulement la figure du tout petit, l'échelle du minuscule (petit comme une fourmi) et la figure microscopique de la multiplicité innombrable, de l'incalculable, de ce qui grouille et fourmille sans compter, sans se laisser compter, sans s'en laisser conter (je reviens sur le conte, le récit et la fable dans un instant). La fourmi, le fourmiller de la fourmi, c'est aussi la chose *insecte*. Insecte hyménoptère, donc, insecte à aile, insecte à hymen, à aile voilée, à aile en forme de voile. Cela grouille et fourmille. Le mot *insecte* participe au grouillement de fourmillière du mot *fourmi* (Entre parenthèses, tous les mots sont des fourmis, et par là des insectes, il faudra en tirer toutes les conséquences pour la différence sexuelle : dès que des mots se mettent de la partie, dès qu'ils sont partie prenante de la différence sexuelle ou que la différence sexuelle a maille à partir avec eux, voilà mon hypothèse, dès qu'il y a de la différence sexuelle, il y a des mots ou plutôt des traces *à lire*. Elle commence *par là*. Il peut y avoir de la trace sans différence sexuelle, par exemple pour du vivant asexué, mais il ne peut y avoir de différence sexuelle sans trace, et cela ne vaut pas seulement pour « nous », pour le vivant que nous appelons humain. Mais dès lors, la différence sexuelle reste à interpréter, à déchiffrer, à désencrypter, à lire et non à voir. Lisible, donc invisible, objet de témoignage et non de preuve — et du même coup problématique, mobile, non assurée — elle passe, elle est de passage, elle passe de l'un à l'autre, par l'un et l'autre, de l'une à l'autre comme une fourmi, un fourmi de rêve). Le mot *insecte*, donc, tel qu'on l'entend sans le voir, comme au téléphone, il fourmille de sens et il nous donne à lire tout ce qui se déchiffre sur le programme de ce colloque.

Partons du *neutre* (c'est aussi le titre d'un roman d'Hélène, l'une de ses immenses fables). Tout passe par le neutre. D'abord « *insecta* », le mot latin pour *insecte,* est un *neutre* (toujours au pluriel, comme s'il n'y avait pas *un* insecte mais un collectif d'insectes, une fourmillière d'insectes : *insecta, insectorum*). Et ce neutre pluriel, *insecta*, ne veut pas dire insécable, indivisible, atomique. Il vient au contraire, dit-on, de *inseco* qui signifie couper, disséquer, parfois déchirer avec les dents (*dentibus aliquid insecare*), mettre en menus morceaux. Le fréquentatif *insector* signifie « poursuivre sans relâche », être aux trousses, presser vivement, séduire, peut-être courtiser, harceler, s'acharner auprès de —, etc. En tant que « *insecta* », cette sorte de genre, de quasi-genre spécifié par des milliers d'espèces, la fourmi est un invertébré coupé (le mot signifie *coupé*, il nomme la coupure), c'est-à-dire divisé en des petits étranglements, par autant d'anneaux.

Au fond la fourmi mérite le titre d'insecte : c'est un animal à anneaux. Son corps est marqué, scandé, stricturé par une multiplicité annulaire de *rings*, qui viennent le couper sans le couper, le diviser sans trancher, le différencier sans le dissocier — bien que le nom, *insecta*, de *inseco*, veuille dire « coupé ». Voilà qu'un mot voulant dire « coupé » en vient à signifier « étranglé », mais non « coupé », et (mais) coupé et (mais) non coupé, séparé mais (et) non séparé, coupé mais aussitôt réparé.

Voilà de quoi on aimerait parler : du séparé/non séparé, du coupé/non coupé — et du mot « sexe », de la différence sexuelle dans son rapport au coupé (et) (mais) non-coupé, au coupé qui ne s'oppose plus au non-coupé, entre le « séparer » et le « réparer ». Là, « parer » entre deux, se « parer » entre « séparer » et « réparer », le un devient deux puis un avec l'autre sans cesser d'être *un séparé*, c'est-à-dire deux au-delà de toute arithmétique, la séparation *et* la réparation, la séparation *comme* réparation. Là, avec *là*, comme avec le parer de la sé-réparation, nous parlons déjà au titre d'Hélène. Je ne cite pas seulement ses titres magnifiques qui disent tous l'hymen et la différence sexuelle : *La* (réédité en 1979) ou *Illa* (1980) ni les *Préparatifs de Noces* (1978), etc. Non, je cite au passage la comparution des mots « séparation/réparation », tous les deux associés dans les récents « autoportraits d'une aveugle » (qui sont, vous le savez, un chapitre de *Jours de l'an* publié il y a quelques mois sans que nous nous soyons jamais donné le mot, elle pour écrire ses « Autoportraits d'une aveugle » à peu près au moment où j'écrivais des *Mémoires d'aveugles, L'autoportrait et autres ruines*).

Dans le chapitre de *Jours de l'an* intitulé « Autoportraits d'une aveugle » (« Autoportraits » au pluriel, cette fois, et « aveugle » au féminin ; j'avais essayé d'expliquer pourquoi les aveugles du mythe ou de la révélation sont presque toujours des hommes ; une aveugle, c'est un mot aussi insolite en français que un fourmi, mais on y reviendra, c'est plus compliqué), une certaine *Histoire de Contretemps* (l'expression *Histoire de Contretemps* est en italiques comme pour un titre à lire ; sans que nous nous soyons donné le mot, je m'étais jadis servi de *contretemps* dans le titre d'un texte aphoristique concernant un autre couple aphoristique que Hélène connaît bien, Roméo et Juliette), une certaine *Histoire de Contretemps,* donc, commence par un *banc*. Elle commence sur un banc — et c'est aussi une scène de lecture, une lecture de la différence sexuelle : entre séparation et réparation, l'entre-deux entre Séparation et Réparation.

Chacun des deux mots, *Réparation* et *Séparation*, reste tout seul. Chacun fait une phrase à lui tout seul, mais cette phrase est une question (« Réparation ? Séparation ? »). Chacun se dresse dans sa solitude — et entre les deux, il y a l'entre. Mais l'entre qui s'ouvre à l'instant où entre quelqu'un, quelqu'« un », Onéguine. Je lis, il vaux mieux lire, toujours :

> Parce que cette *Histoire de Contretemps* commence par *un banc* [...] Ce que j'aime : la course, ce que Marina aime : le banc. Chacune lit dans son propre livre. L'auteur : hésite. Dans celui de Marina : Un banc.
>
> Un banc. Sur le banc de Tatiana. Entre Onéguine. Il ne s'assied pas. Tout est déja rompu. C'est elle qui se lève. Réparation ? Ils restent debout tous les deux. Séparation ? Tous les deux. (p.190)

« Tous les deux » : « tous les deux » est l'une des œuvres les plus singulières de la grammaire française. Hélène a le génie de faire parler la langue, et l'idiome le plus familier, là où il paraît fourmiller de secrets qui donnent à penser. Elle s'entend à lui faire dire ce qu'il garde en réserve, ce qui du coup le fait aussi sortir de sa réserve. Ainsi : « tous les deux » peut toujours s'entendre comme *tous les « deux »*, tous les couples, les duels, les duos, les différences, toutes les dyades du monde : chaque fois qu'il y a deux au monde. Nom singulier de ce pluriel qui pourtant rassemble des couples et des unités duelles, « tous les deux » devient alors comme le sujet ou l'origine d'une fable, histoire et moralité comprises. La fable dit tout ce qui peut arriver *à* la différence sexuelle ou *depuis* la différence sexuelle. Ici même, dans la séquence plus étroitement délimitée de cette *Histoire de contretemps*, il reste impossible de décider si ce « tous les deux », qui répète le « tous les deux » antérieur (Je relis : « Réparation ? Ils restent debout tous les deux. Séparation ? Tous les deux. Mais il n'y a que lui qui parle. Il parle longtemps. Tout le temps. Elle, elle ne dit pas un mot. »), signifie *tous les deux*, lui et elle, au sens le plus courant et le plus évident (quand « tous les deux » signifie l'un et l'autre, tous deux ensemble, en chœur, également, indissociablement, d'un commun accord, tous les deux comme un, inséparables en cela) ou *tous les deux*, la « réparation » et la « séparation », l'une et l'autre, la réparation qui ne se sépare pas de la séparation, c'est-à-dire de la séparation irréparable, l'irréparable séparation de la paire dépareillée dans sa comparution même. A cette seconde écoute, ce qui rend inséparable tous les deux comprend aussi la séparation qui les unit, l'expérience de l'éloignement ou de l'inaccessibilité qui les conjoint encore.

> Mais il n'y a que lui qui parle. Il parle longtemps. Tout le temps. Elle, elle ne dit pas un mot. Entre eux, les paroles ne donnent pas le mot.

Ne pas donner le mot, pour des paroles, c'est étrange. Cela complique encore les questions spontanées que nous posions tout à l'heure sur ce que veut dire *donner la parole*, *donner sa parole*, ce qui donne encore autre chose, donner une chose et donner le mot, donner en général, donner le donné. Voilà maintenant que viennent à nous des paroles sans mot, en tout cas des paroles qui, si elles ont le mot, et peut-être le mot de la fin ou le mot de passe, ne le donnent pas. Des paroles qui ne donnent pas le mot, est-ce la même chose que des paroles qui ne donnent pas la parole ? Ne pas donner la parole à l'autre, interdire l'autre ou le priver du droit de réponse, et certains savent le faire qui sont aussi des orateurs ou des rhéteurs, c'est toujours en parlant que cela opère. Mais peut-être faut-il distinguer ici entre, *d'une part*, « donner le mot » qui peut vouloir dire dévoiler le mot de passe ou le mot de la fin, livrer le secret ou la clé d'une lecture, par exemple donner le mot de la différence sexuelle, et *d'autre part*, ce qui est tout autre chose, « se donner le mot » (à savoir cela même que nous n'avons pas fait, Hélène et moi aujourd'hui : se donner le mot, c'est s'entendre comme des complices pour monter une opération, pour comploter, nouer le « plot » d'une intrigue ; à moins que les complices absolus, ceux qui n'ont pas eu à décider de leur complicité par un contrat n'aient même pas besoin de se donner le mot pour se trouver au rendez-vous, avec ou sans contretemps, mon autre hypothèse étant qu'il n'y a pas de rendez-vous sans l'espace du contretemps, sans l'espacement du contretemps, et pas de contretemps sans différence sexuelle, comme si la différence sexuelle était le contretemps même, une *Histoire de Contretemps*. Un des effets du Contretemps aujourd'hui, c'est, entre autres choses, qu'Hélène m'a fourni *sans le savoir*, me le donnant ainsi, le mot *fourmi*. Son rêve me l'a donné sans savoir ce qu'il faisait, sans savoir ce que j'en ferais, sans savoir tout court, car on ne peut donner que sans savoir. Son rêve m'a donné le mot non seulement comme un vocable dont j'allais jouer sans jouer aujourd'hui, mais comme un mot, et sans doute une chose, un vivant à ailes, que je n'avais pas encore vu de ma vie. C'est une épiphanie dans ma langue et dans le monde qui s'y accorde. Tout se passe comme si, aveugle, je n'avais jamais vu « fourmi » auparavant, ni « fourmi » le nom, ni « fourmi » la phrase, ni fourmi la chose ou la bête à ailes ou sans aile, et encore moins le fourmi, quelqu'un qui s'appellerait fourmi. Qui est-ce, mon Dieu ? Qui peut s'appeler fourmi ? Et comme il aurait changé !)

Tout cela s'est passé, tout cela s'est donné en rêve, depuis le rêve d'Hélène. Si nous en avons le temps, car je parle tout le temps ici (alors que quand nous parlons tous les deux, surtout au téléphone, c'est Hélène qui parle tout le temps, à peu près), si nous en avons le temps, donc, je dirai comment je vois la différence du rêve entre elle et moi, et pourquoi elle écrit *au* rêve, si je puis dire, elle marche au rêve quand elle écrit, c'est-à-dire, si vous suivez les prémisses de mon raisonnement, elle donne en écrivant, elle donne à écrire, elle avance au rêve, elle s'avance sur le rêve, elle s'alimente au rêve mais aussi elle marche *sur lui*, *vers lui*, elle *se rend* à lui, d'avance, alors que moi, je marche à l'interruption du rêve ou plutôt à une certaine séparation/réparation du rêve : j'étrangle le rêve, le rêve s'étrangle en moi, se resserre et se comprime, se réprime, se prime aussi, comme une fourmi au travail, comme un insecte s'étrangle, se comprime, se discipline laborieusement dans le corset de ses anneaux. Hélène, elle, laisse respirer le don du rêve dans l'écriture. Son rêve y est comme chez lui.

Je reprends donc ma lecture de *Jours de l'an* en remontant un peu plus haut pour mémoire :

> Tout est déjà rompu. C'est elle qui se lève. Réparation ? Ils restent debout tous les deux. Séparation ? Tous les deux. Mais il n'y a que lui qui parle. Il parle longtemps. Tout le temps. Elle, elle ne dit pas un mot. Entre eux, les paroles ne donnent pas le mot.
> Est entré le temps, le longtemps, l'éloignement : à grands coups entre eux deux il creuse et creuse...

Comment le temps peut-il entrer ? Comment pouvons-nous dire du temps qu'il arrive, qu'il entre tout à coup, « à grands coups » ? Il faut être deux, à deux, « tous les deux » pour cela, peut-être, au bord de se donner la parole, sinon le mot.

Au paragraphe précédent, une phrase commençait par cette inversion du sujet : « Entre Onéguine ». Onéguine parle « longtemps. Tout le temps ». Hélène dit « tout ». Après le singulier « tous » de « tous les deux », voici le non moins singulier « tout » de « tout le temps ». Comment peut-on « tout le temps » ? donner, se donner ou prendre tout le temps ? Que reste-t-il alors ? Ce qui donne le plus à méditer : d'une totalité à l'autre, le trait le plus commun, n'est-ce pas justement l'impossibilité de totaliser ? Dans les deux occurrences idiomatiques de « tous » et de « tout », il y va de la fracture, de la distance interruptrice ou de la séparation infinies : la différence même. Invention si belle et si mystérieuse, si impossible, aussi belle et aussi impossible que « tous les deux », ce « tout le temps » sans reste est évidemment le sujet le plus énigmatique de cette différence entre lui et elle. On remonte le temps, on le raconte à l'envers pour le précéder de sa fable. On entend « tout le temps » comme pour la première fois d'un poème et comme si la versification interne et intense de ce « tout le temps » revenait à dire le temps du temps, l'origine renversante de la temporalité même, là où le temps tout à coup entre en scène. Il faut être deux, « tous les deux », pour que cette anabase du temps ait chance de survenir, « entre eux deux ».

Extrait 2 : Hélène Cixous, *Quelle heure est-il ?*, Colloque de Cerisy « Passages de frontières », autour de Jacques Derrida, juillet 1992 (paru aux éditions Galilée)

« Ah ! dans trois mois, j'aurai cinquante ans. Est-il bien possible ? » s'exclame Stendhal, un autre enfant illimité, à qui il arrive l'incroyable tout cru, le même incroyable —

> C'était le matin du 16 octobre 1832, à San Pietro in Montorio, sur le mont Janicule, à Rome ; il faisait un soleil magnifique. Un léger vent de sirocco à peine sensible faisait flotter quelques petits nuages blancs au-dessus du mont Albano, une chaleur délicieuse régnait dans l'air ; j'étais heureux de vivre. Je distinguais parfaitement Frascati et Castel Gandolfo qui sont à quatre lieues d'ici... Je vois parfaitement le mur blanc qui marque les réparations faites en dernier lieu par le prince François Borghèse,...
>
> Quelle vue magnifique ! C'est donc ici que *La Transfiguration* de Raphaël a été admirée pendant deux siècles et demi... Ainsi pendant deux cent cinquante ans ce chef d'œuvre a été ici : deux cent cinquante ans ! [1]

et tout d'un coup un cri : Ah ! l'heure se lève, là-bas, dans trois mois j'aurai cinquante ans. Qui le croirait ? Et de s'en assurer avec les doigts : 1783, 93,....

> ... Ah ! dans trois mois j'aurai cinquante ans ; est-ce bien possible ? 1783, 93, 1803 : je suis tout le compte sur mes doigts... et 1833 : cinquante. Est-ce bien possible ? Cinquante ! Je vais avoir la cinquantaine, et je chantais l'air de Gretry
>
> *Quand on a la cinquantaine.*
>
> Cette découverte imprévue ne m'irrita point, je venais de songer à Annibal et aux Romains ? De plus grands que moi sont bien morts !...[2]

Quand on a la cinquantaine — en fait la chanson dit la soixantaine. Je vais avoir « la soixantaine ». Est-ce le nom d'une maladie ? d'une décoration ? Je suis devenue « sexagénaire » ! rit une amie. Quel sobriquet ! Quelle aventure ! Est-il possible ? Peut-être ; mais pas vrai. Voilà donc ce qui peut nous arriver, un signifiant, plein de son et de rire, et qui ne signifie rien. Sinon : « auch einer ». Lui aussi, moi aussi, j'en suis. Moi aussi je l'ai, la marque — le virus — la circoncision continue...

Voire ! Alors sous le coup de l'incrédulité, on fait un Essai de circonfession : tentative de se faire cracher le sang le plus secret pour essayer de voir de ses propres yeux la couleur intérieure — de quoi ? — de son propre esprit, le jus personnel de la vie, la preuve intérieure de l'existence de soi,

un essai pour capter la matière mortelle qui irrigue l'âme immortelle, pour *voir* le principe. Ah ! quel choc, à la vue de ce rouge habitant qui détient nos chiffres secrets. Les apprentis hématologues-heimatologues que nous sommes s'exclament : Et moi, je suis le résultat de ce sang et la somme de ces décades ? Ma vie est-elle dans moi, devant moi, derrière moi, avant moi, plus longue que moi ? Qui commande ici ? Je veux que ce soit moi ! Qui moi ? Tous nous voudrions une fois avoir des mains pour nous prendre tout entier tout entière dans ces mains, des bras pour nous embrasser depuis le premier jour y compris le dernier.

Et Stendhal de se mettre à écrire « Vie-de-Henry-Brulard-écrite-par-lui-même », à cause de « cette découverte imprévue. » Et mieux encore, sortant de ses propres pantalons en coup de vent, sautant sur lui-même, et se capturant en pleine étrangeté, ah ! je me tiens, et je vais écrire ma *Life* moi-même. A nous deux, Life ! jette-t-il à cette vie, la sienne, qui cavale, trébuche, le jette à bas, il a horreur de ça, qu'il monte et qui ne lui obéit pas, il en est fou, comme d'une jument. La rétive, qui le parcourt et le désarçonne, il l'appelait Life, — comme s'il l'avait sentie filer depuis toujours, et échapper à l'anglaise à son maître français.

Et J.D. allant voir, remontant la veine pour se circonvenir lui-même, allant jusqu'à faire 59 fois le tour de J., car l'on sait depuis la Bible qu'à la bonne longue, les murailles se rendent. Le rêve ce serait d'y être, à la première heure, pour pouvoir répondre, être témoin de sa propre naissance, arriver là où était Esther, ma mère, Wo Esther war soll ich gehen, — ma mère la preuve, ma mère qui circule en moi, ma mère qui est en moi comme moi je fus en elle, quel lien étrange, et rouge, contenu, et qui ne se rassemble pas, ne s'arrête pas, qui passe, s'échappe, poursuit son cours à travers les générations, portant nos couleurs bien au-delà de nous. Ici, au dedans invisible, je ne sais plus si je suis le sujet de verbes au passé, au présent, ou si déjà aujourd'hui est avant hier cependant qu'autrefois fait partie du futur.

En vérité, je voyais et je vois, simultanément, comme l'écrit Stendhal. Je suis j'étais elle est moi encore déjà elle commence à n'être, je la suis elle ne me suit pas, il/elle me devance.

Le plus étonnant ce n'est pas que, moi, je mourrai, c'est que j'aie été né, que je ne sois pas toi, et que je sois moi. J'aimerais bien le connaître celui-là.

Je me suis assis sur les marches de San Pietro et là j'ai rêvé une heure

> ou deux à cette idée. Je vais avoir cinquante ans, il serait bien temps de me connaître. Qu'ai-je été ? que suis-je ? En vérité je serais bien embarrassé de le dire. [3]

Quelle nostalgie ! Quelle jalousie ! Tout le monde l'aura rencontré sauf moi ? J'aimerais bien l'aimer. Quelle idée ! Une idée qui nous vient quand je s'accoude au bord de moi et tend le cou, avance un peu la tête hors du temps pour apercevoir moi. J'aimerais m'avouer ; et le circonfesseur, c'est moi. Circonfession c'est ça, confession c'est dedans, cela se passe entre moi-même et moi-même, circonfession, c'est passer la tête hors de la tente de soie, passer la propre peau, passer la propre mort pour attraper la propre vie par les cheveux, par la crinière. Où s'écrivent ces livres surprenants, qui surprennent ? Pour se surprendre, il faut qu'ils se rendent sur les lieux interterritoriaux, dans les espaces qui me longent et me prolongent.

> Les Cinquante neuf périodes et périphrases de Circonfession sont écrites dans une sorte de marge intérieure, entre le livre de Geoffrey Bennington et un ouvrage en préparation. [4]

Où écrire les paroles qui nous traversent en passant par la passerelle de notre corps, attirées par un événement que nous pressentons et repoussons, les pensées barbelées qui nous transpercent en se précipitant comme des folles vers l'événement haï et vénérable, où écrire ce dont on ne peut parler à personne, ce secret sans son audible qui nous précède, dont nous sommes à la fois le gardien et la célébration ?

Où ? Entre deux livres, entre un livre et un ouvrage, dans une sorte de marge intérieure, entre la peau de mon ventre et la ceinture de mon pantalon,

> Enfin je ne suis descendu du Janicule que lorsque la légère brume du soir est venue m'avertir que bientôt je serais saisi par le froid subit et fort désagréable et malsain qui en ce pays suit immédiatement le coucher du soleil. Je me suis hâté de rentrer au *palazzo* Conti (Piazza *Minerva*), j'étais harassé. J'étais en pantalon de (——) *blanc* anglais ; j'ai écrit sur la ceinture en dedans : *16 octobre 1832, je vais avoir la cinquantaine*, ainsi abrégé pour n'être pas compris : *J. vaisavoirla5*. [5]

écrit au chaud, à l'extrémité, entre jour et nuit, juste avant la mort,

« en abrégé, pour n'être pas compris, »

pas compris par qui ? par la personne qui va lire le message écrit sur la ceinture du pantalon ? « J. vais avoirla5 » : Il ne faut pas le dire ! Que personne ne le sache ! C'est le secret.

Secret haut proclamé, mais dans le livre présumé posthume.

Mais alors secret pour qui ? Secret caché à qui ? Même à moi. Je veux dire : à lui. Je veux dire à moi. Secret annoncé, mais non révélé. Instantané. Ecrit pour n'être pas lu. Mais pour avoir été écrit. Qui le saura ? Abrégé :

inscription d'urgence : il faut faire vite, c'est que je vaisa voirla5 d'une minute à l'autre. Et la première chose qui lui tombe sous la main c'est le pantalon.

« J'étais harassé — J'étais en pantalon » — l'attelage est fou, ça galope.

« J'étais harassé — J'étais en pantalon, j'ai écrit, » j'appelle cela écrire à cru.

Ma ceinture murmure à la peau de mon ventre ce message en langue déguisée. Enoncé beaucoup plus proche de la vérité insensée que l'autre avec son air correct, le non-abrégé. Ce qui va arriver à J. est incompréhensible en vérité.

La scène se passe entre ces deux (lui) ; lui qui écrit et lui-qui-lit. La scène se passe à l'étranger intérieur. L'étrangeté passe entre moi et moi. Entre la peau et le pantalon. Ecrire un livre dans une langue chiffrée, très étrangère à moi-même, c'est le comble de l'écriture. Et plus précisément : s'écrire un livre. C'est que l'écriture ne s'adresse pas d'abord au lecteur extérieur, elle commence par moi. J'écris ; je m'écris, elle s'écrit. Le pantalon est la scène de l'écriture dans sa clandestinité natale. Peu d'écrivains sont assez magiques, assez enfants, assez crus, pour faire ce geste et le transcrire à cru.

Montaigne peint le passage avec des mots domptés, matés, montés.

Stendhal aura fait corps avec l'écriture contre le cavalier qu'il était.

A lui-même le livre échappe. Comme cet âge, le sien, celui de Henry Brulard, imprévu ! cette cinquantaine qui lui arrive dessus. Mais c'est quand même la sienne. Comment garder et laisser courir en même temps ? Avoir ce qu'on n'a pas ? Tentons de ramener à l'intérieur du pantalon la « découverte imprévue ». La ceinture va garder le secret.

Sans le savoir nous sommes passés dans un autre monde. Ici règne une causalité un peu folle. Tout obéit dans ce moment décisif, au hasard et à la fantaisie. Nous les entendons ces divinités faire zézayer d'un zibboleth chubreptice le récit d'une genèse musicale et capricieuse.

« Je me suis hâté de rentrer au palazzo Conti piazza Minerva, j'étais harassé. J'étais en pantalon de (croisé) blanc anglais ; j'ai écrit sur la ceinture en dedans : J. vaisa voirla5. » Voici le germe d'un livre qui aura toujours quelques encolures d'avance sur son propre cavalier.

Quel âge avait Stendhal, je veux dire Henry Brulard, quel âge osait-il avoir encore ou déjà lorsqu'il écrivit J. vaisa voirla5. en trois espèces de mots ? L'âge où c'est la magie qui fait loi. Disons 5 ans, 6 ans ?

Et tout aura été le fruit de cette heure insaisissable !

*

Dès qu'il s'agit de penser une date, de tailler une encoche dans le cours du sang, de passer une bride au vent, nous sommes fous,

Une date est folle, voilà la vérité.

Et nous sommes fous de dates.

Et comme on peut être fou quand on est seul avec son pantalon ! Fou, c'est-à-dire libre.

> Une date est folle : elle n'est jamais ce qu'elle est, ce qu'elle dit qu'elle est, toujours plus ou moins que ce qu'elle est. Ce qu'elle est, c'est ou bien ce qu'elle est ou bien ce qu'elle n'est pas. Elle ne relève pas de l'être, de quelque sens de l'être, voilà à quelle condition sa folle incantation devient musique. Elle reste sans être, à force de musique, reste pour le chant, *Singbarer Rest*, c'est *l'incipit* ou le titre d'un poème qui *commence* par dire le reste. Il commence par le reste — qui n'est pas et qui n'est pas l'être — , en y laissant entendre un chant sans mot (*lautlos*), un chant peut-être inaudible ou inarticulé, un chant pourtant dont le tour et le trait, l'esquisse, le trait de contour (*Umriss*) tiennent sans doute à la forme coupante, aiguisée, concise, mais aussi arrondie, circonvenante d'une faucille, d'une écriture encore, d'une écriture (*Schibboleth*, p.68)

Une date dit notre folie humaine. Dire que nous datons Dieu ! Quelle liberté !

Nous plantons des drapeaux dans le sang.

NOTES

1. Stendhal, « Vie de Henry Brulard », *Œuvres Intimes II*, (La Pléiade, 1982) p. 529-531.
2. Note dans le volume de La Pléiade : Air de *La Fausse Magie* (acte I, sc. VI), opéra comique, paroles de Marmontel, musique de Grétry (1775), Stendhal a été trompé par sa mémoire, à moins qu'il n'ait délibérément voulu faire coïncider les paroles de l'air à son propre cas, le texte portant : *la soixantaine*. Il y avait longtemps qu'il connaissait *La Fausse Magie*. Voir *Journal*, à la date du 21 septembre 1804 (p.125
126), *Œuvres Intimes II*, (op.cit.) p.1318.
3. cf. note 1.
4. Jacques Derrida *Circonfession*, in : G. Bennington, J.Derrida, *Jacques Derrida*, Seuil 1991.
5. cf. note 1.

PORTRAIT DE L'ÉCRITURE

PAR

MIREILLE CALLE-GRUBER

PORTRAIT DE L'ÉCRITURE
L'ECRIRE-PENSER[1]

> On *doit* aller jusqu'au-delà
> des possibilités de l'instrument. Mais
> inconsciemment.
> Nous sommes là pour perdre
> *L'ange au secret*

L'approche critique ne va pas, ici, sans, l'indécidable qui la travaille. Ou plutôt, sans une relation d'incertitude qui se dérobe à ce qui serait de l'ordre de la prise, reste aux prises avec l'ouvrage qui la requiert — au prix de ne dire mot. Lecture médusante : face à cela qui interpelle, *remet* tout *en questions*. En celles-ci notamment :

S'agit-il d'un parler *de*, feignant que s'objectivent les livres selon le répertoire dressé d'idées, thèmes, images, et les retrouvailles avec le catalogue des traits de l'éternel humain ? C'est alors un *coup de force* de la topique qui tente de classer l'inclassable.

Ou bien s'agit-il d'un parler *avec*, entretenant en une parole mimétique et identitaire l'illusion que l'auteur de l'œuvre échange avec sa lectrice un regard vis-à-vis ? C'est alors un *coup de cœur* qui fait oublier que l'écriture discourt *in absentia*, à perte de vue, et que la lectrice s'aveugle au miroir.

Ou bien encore, s'agit-il d'un parler *sur*, la plume courant par-dessus, recouvrant, pré-textant le texte Cixous pour en gloser les rêves, récrire le cri ? C'est alors un *coup de style* du discours tropique qui biffe et rature, parle d'entre les mots et les langues.

Telles sont les questions qui se posent *à* l'origine (lui sont posées) et nul doute que l'écriture d'Hélène Cixous sollicite et met en scène la triple modalité de ces trois coups. Questions de distance qui divisent l'origine, font du geste de critique littéraire un geste toujours déjà partagé. Lecture ruineuse qu'obsède ce propos : à quelle distance en parler, en écrire ? Propos enté sur le propos de l'autre, écrivain, qui lui fait écho : à quelle distance ça parle dans le texte de fiction ? Ça *me* parle — à moi, de moi. Ça *se* parle — à soi de soi-même, des autres soi, des autres. Et à quelle distance surgit, s'interrompt, repart le flux de l'écrire ?

L'approche critique s'indécide donc sur l'invite d'ouvrages qui donnent à lire l'écriture ruïneuse et ruiniforme d'un texte qui fait voies/x de toutes parts. Ce qu'il en coûte est exorbitant : point de point de vue qui ne soit aussitôt débordé, de jeu de rôles qui ne soit déplacé, de récit qui ne soit excentrique ; point de commencement qui ne soit disjoint entre Auctor et Actor, entre *l'auteur*-elle qui jette l'encre éternellement, de livre en livre, et je-aile qui poursuit mille moi(s). C'est ce qui se déchiffre à l'enseigne de *Jours de l'an*, dont l's pluriel à « jour » détourne le sens commun, ne désigne plus le premier jour de l'an nouveau-né mais chaque jour comme autant d'anniversaires d'un moi mort et re-né :

> La personne que nous avons été, est maintenant un « j'étais », le personnage de notre passé. Elle nous suit, mais à distance. Et parfois elle peut même devenir le personnage d'un de nos livres.
>
> C'est ainsi que j'ai derrière moi, une, deux, trois, quatre défuntes (et peut-être d'autres dont il ne reste plus que les os et la poussière) [...] Reste aujourd'hui celle qui nous aura suivie jusqu'ici. Et qui passe avec moi au présent. Celle-ci, qui a donc traversé les décennies où d'autres sont tombées, nous la chérissons : elle ne peut être, croyons-nous, que la plus forte et la meilleure de nous-même. Ceci est seulement une croyance. [...]
>
> Nous sommes à notre propre égard, à soixante ans encore, des poussins dans le calcaire. Je me révélerai à mon heure. Ma coquille déjà ténue volera en éclats. Je sens que cette naissance est imminente. Déjà une partie de moi est future : tout ce que je viens de penser est ce que je vais penser dans l'heure future. (*J*, p.45-46)

En somme, sur les brisées de l'origine, toute une théâtralité se met en œuvre : *théâtre de l'écriture* qui est bien effet(s) de distance(s) c'est-à-dire de passages de l'une à l'autre, à la fois dispositif et représentation, lieu et jeu d'espaces escamotables, où le faire et l'être s'interpolent. Les représentations de l'écriture sont ce qu'elles se font, font ce qu'elles disent, disent ce qu'elles font, font le vrai et le faux — mais vrai ou faux importe peu ; c'est la question du faire qui l'emporte. Et pour ce faire, qui est toujours « sur le point, entre déjà et pas encore » (*J*, p.47), il faut que la mise en scène, faisant feu de tous les artifices et praticables, soit aussi une mise en cendres de l'écriture. Une seule règle, dès lors, semble conduire la plume de Cixous : en revenir à la plus grande incertitude, laisser parler la parole, phraser la phrase, fourcher la langue, sans quelque prédestination d'une pensée antérieure — puisqu'aussi bien, et en vertu de l'infini déplacement des significations, « la mort n'est pas ce que nous pensons » (*J*, p.49), « le crime n'est pas ce que nous pensons » (*J*, p.105), « penser n'est pas ce que nous pensons » (*J*, p.51-59). La règle est de jouer la dispersion, la diversion, la surprise, d'inventer un « état d'avant Dieu » c'est-à-dire de perdre « le secret de la Genèse » (*J*, p.59), ceci afin que l'écriture *revienne de loin*, de rien, d'avant l'Histoire et toute histoire, d'avant les récits de la société, le langage commun, les références ; afin que, *in extremis*, à la livraison, elle nous fasse *le coup du livre*.

> Auteur, as-tu jamais écrit le livre que tu voulais écrire ? Qu'est-ce qu'un auteur ? se demande l'auteur. Le naufragé, la survivante vaincue de mille livres.
>
> Je n'avais qu'à ne pas vouloir ? C'est impossible. Nous voulons. Cela commence toujours ainsi. J'ai voulu. J'ai essuyé mille tempêtes et sauvé trente coquillages.
>
> Ai-je jamais voulu écrire un livre et cru l'écrire ? J'ai essayé. A la fin reste un livre. Et je l'adopte. (*J*, p. 55)

Faire le coup du livre, c'est cela : entre aban-don (« vaincue ») et adoption, rendre au hasard toute la place. *A la fin*, inespéré et désespérant, désiré et indésirable, échoué et sauvé, se donne : un livre. Il arrive un livre : comme un miracle et comme un intrus. Il est délivré (tel un envoi postal) et ne se livre pas : au rayon des objets trouvés, objet indu qui ne cor-respond pas, surgi contre toute attente, à l'insu, le livre cixousien est deuil et don. Deuil de « mille » ouvrages perdus qu'il exclut. Don sans adresse : qui n'était pas voulu, pas cru, pas dû. Un reste. — Je le prends, merci. — De rien. Don de rien sinon, inassouvissable, le désir d'écrire le livre qui n'est pas écrit.

> [...] trente ans que j'écris, portée par l'écriture, ce livre-ci ce livre-là ; et c'est maintenant soudain que je le sens, parmi tous ces livres, il y a le livre que je n'ai pas écrit ; pas cessé de ne pas écrire. Et c'est maintenant que je le sens, aujourd'hui, un lendemain de douze février, que, je l'apprends et pas avant, il y a le livre qui me manque. [...]
>
> Et voilà ce qui peut nous arriver : pendant trente ans nous ne pensons jamais au livre que nous n'écrivons pas. (*J*, p.7-8)

Ce qui s'affirme ici est une écriture par la négative, qui s'efforce de faire entendre l'inouï, penser l'impensable, faire lire et écrire là où ça n'écrit pas, à l'endroit des négatifs qui, dans le texte de Cixous prennent existence, ek-sistent, et deviennent une butée des significations.

Il s'ensuit un bouleversement des concepts et des valeurs qui organisent, d'ordinaire, le rapport à la littérature. Notamment, le concept d'auteur. *L'auteur*, qui s'inscrit dans ses livres en corps étranger d'italique, telle une citation, ou bien se trouve mentionné incidemment dans le décrochement de l'incise « demande/pense/dit l'auteur », l'auteur est un *soi-disant*, une façon de dire une autorité toute relative — instance contrainte à relations avec je-aile qui échappe, le livre-épave qui arrive, tous les moi(s), tous les morts et les personnages de la bibliothèque qui défilent. Bref, le livre n'est pas le propre de l'auteur, il se donne là où, par définition, il n'y a pas de propre — mais dépropriation, dépossession sans fin. Par suite, l'auteur ne cesse de loucher sur son personnage d'auteur, lequel prend en effet un genre louche, équivoque : « *le* naufragé, *la* survivante » ; et une double voix, l'une passant en contre-bande de l'autre.

Quant au livre : c'est un objet non identifiable ; pas un produit mais *la trace*, le dépôt de quelque chose qui s'est passé, qui est passé : le lieu d'un passage, un lieu de passages. Ce n'est pas même un objet car il n'est pas réifiable : point programme mais jet, pro-jet, trajets ; inachèvement ; livre désir-de-livre toujours ; une plage de temps et d'espace ouverte à/par l'écriture. C'est la *scène de l'écriture* : où elle monte, se grandit, se montre. C'est aussi *la* scène de l'écriture : primitive, première, fondamentale et donc, par définition, *insoutenable* — que rien d'antérieur ne soutient[2]. Hélène Cixous n'écrit pas le « livre sur rien » mais un livre *de rien*. A la merci.

L'écriture devient ainsi lieu du sublime : exaspérant tensions et contrastes, elle travaille à l'endroit de l'envers, réversibilité contre sens, adoption contre option, faufil contre droit fil du récit, fil tors contre enchaînement de la logique. L'écriture prend à l'oblique des significations, par tangentes. Du vouloir, elle retient la volition ; du pouvoir le potentiel ; de la puissance le possible. Bref, c'est une écriture des facultés et du facultatif — point une écriture de droit ou de prérogatives[3]. A celle-ci, Hélène Cixous oppose une écriture qui est une *force faible* : qui n'exerce pas de maîtrise ; qui tout au plus s'exerce en tentatives.

Au commencement de cette entre-prise, sont la faille et le faillible — pas le Verbe. L'écriture de la force faible, c'est ce qui est en passe de défaillir et qui va de pair avec la pensée de l'échec. Déclinaison et déclin des significations : le livre m'échoit, le livre s'échoue, le livre échoue (*est* échoué, *a* échoué).

> La tempête passe. Nous voilà échoués, tourbillonnés, ayant arraché au vent quelques atomes et c'est déjà immense. Et cependant, c'est bien moi qui l'ai déchaînée. J'appuie sur le bouton et c'est l'explication du monde, mais moi je ne commande que le bouton. Penser ? : échouer. Echouer : penser. (*J*, p.55)

« Penser ? : échouer. Echouer : penser. » Ici, le tour de l'aphorisme est exemplaire de ce qui advient *en cours* de phrase, main tenant la plume, maintenant sur la page : l'écriture en fait et en dit toujours plus ; répétition, inversion, débordent la pure réciproque de l'aller-retour, la symétrie est dissymétrie, changer de place deux éléments s'assortit d'invention. En somme, toute intervention dans le texte entraîne un déplacement significatif ; ceci en l'occurrence, qui est non seulement parti pris d'écrivain mais éthique de l'écrire : pré-posé, le penser est voué à l'échec ; consenti à l'origine, l'échouer *porte à* penser. Davantage : échouer *c'est* penser (l'échec). Car en déployant la triple construction (active, passive, réflexive) du verbe échouer, Hélène Cixous souligne avec acuité que penser déborde toute finalité, que la pensée n'aboutit (ne pense) jamais où elle croyait arriver (penser). Et du même trait, l'origine aussi se défait : l'écriture est fin sans fin, commencement sans commencement. Aux antipodes de la création divine : sans alpha ni oméga. Au commencement, c'est toujours déjà le milieu :

> C'est toujours ainsi quand il s'agit de commencer un livre. Nous sommes au milieu. [...] Dieu commence — nous non. Nous, c'est au milieu. Ainsi nous avons commencé à exister, ainsi écrivons-nous : commencés, et par le milieu. Et : à notre insu. (*A*, p.11)[4]

Autrement dit, il s'agit pour Hélène Cixous de ne pas verrouiller le sens, de le/se livrer au hasard des croisées linguistiques et textuelles, de travailler une non-forme. Moins dire ceci ou cela qu'écouter la langue dire. Ecrire non pas un roman mais de la *fiction* — et le terme, ici, assume toutes les conséquences, faisant du livre une vaste scène d'invention. Il s'agit aussi de désarmer la pensée ; d'œuvrer dans la conscience que toute écriture est facteur de trouble, qu'il faut perdre le sens pour que s'en découvre plus, dépenser pour penser, aller en aveugle pour que lève la pensée « au page à page d'un livre » (*J*, p.55), selon sa pesée par les mots qu'elle fléchit.[5]

Tel est ce que je nommerais l'écrire-penser d'Hélène Cixous : rien ne se conçoit hors du processus de l'écrire mais pour autant il n'y a pas non plus diktat textuel ; c'est toujours une écriture qui *a failli* ne pas aboutir et qui *faillit* à sa tâche.

> [...] seule l'impossibilité de peindre jamais le Fuji-Yama autorisait le peintre à peindre et tenter de peindre toute sa vie. Car s'il arrivait que l'on parvînt à peindre ce que l'on avait rêvé de peindre depuis le premier pinceau, tout périrait aussitôt : l'art, la nature, le peintre, l'espoir, tout serait arrivé, la montagne s'éteindrait en tableau, le tableau perdrait ce tremblement de désespoir qui déchirait délicatement sa toile. Un achèvement de pierre saisirait l'univers. (*J*, p.17)

Cette comparaison avec la « vérité folle » de la peinture rappelle irrésistiblement le *Portrait ovale* d'Edgar Allan Poe — où la réalité, c'est-à-dire la jeune femme modèle dont est *tirée* la *Vie même* du tableau, meurt littéralement de la métaphore[6] — et dit la contradiction déchirante qui est constitutive de l'art. L'écrire-penser de Cixous c'est, à l'œuvre, le désœuvrement qui saisit l'écriture s'auto-fléchissant. Ou se réfléchissant au miroir de ses autres : Hokusai, Rembrandt, Clarice Lispector, Tsvetaeva, Thomas Bernhard. En somme, avec les livres d'Hélène Cixous arrive la fin du monde : du monde que nous nous figurons — pensable, présentable, représentable.

L'écrire-penser inaugure, sous le signe de son nom de « hache et de couteau » (*A*, p.37)[7], un espace qui est *combat*[8] ; qui est *battement* par le jeu de rupture-suture (J, p.191) détachant l'écriture de la fable ; qui est lieu de *bascule* car cette fin du monde n'en finit pas de finir en les scènes successives de ses *remake*.

Reste, bien sûr, à se demander comment : comment procède l'écriture lorsqu'elle cherche à miner son terrain réputé propre ? Quelles manœuvres, quel savoir faire ou quel sabordement de l'art permettent de régler « la progression magique de l'écriture » (*A*, p.236-237) ? de tenir l'intenable discours qui rêve d'être *naturel*, de parler *comme* le vent, la tempête, la mer ? Quels dispositifs permettent d'inventer une écriture d'avant l'invention de l'écriture, d'avant Thot, alors que *parlait l'arbre*[9], est-il dit dans le *Phèdre* de

Platon ? Bref, comment procède cette écriture forcenée du livre sans adresse, qui *ne l'envoie pas dire* ?

Je ne considérerai qu'un aspect, à mes yeux primordial : *l'en-je* de l'écriture. L'écriture d'Hélène Cixous passe nécessairement par la mise en *je* : le pronom. Je ne dis pas la première personne ; car dans ses livres, il n'y a pas une mais mille personnes, et point de première entre toutes. Point d'ordre. Tout est cardinal. Ou plutôt, ce qui est cardinal c'est cette mise en pro-nom — mise pour le nom, à sa place — c'est le déplacement infini et indéfini du propre, du sujet. Actif/passif dès lors, sujet *de*, sujet *à* glissements. Moins possesseur que possédé — du démon d'écrire.

L'en-je est à l'opposé de l'en soi. Là où l'en soi désigne densité de la substance et coïncidence, l'en-je est accident, phénomène, altération, autre. C'est un mobile, une non-présence à soi, une non-figure. L'en-je est lieu d'intuitions, de rôles, de représentations comme seule possibilité de connaissance : il porte à une écriture de l'interruption et de la séparation ; il porte l'écrivain à faire les « autoportraits d'une aveugle » — titre de l'une des sections de *Jours de l'an*. Elle commence ainsi :

> Pendant ce temps l'auteur... l'auteur ne revient pas. Elle est toute à son drame, toujours.
> Pourquoi parlé-je de l'auteur comme si elle n'était pas moi ? Parce qu'elle n'est pas moi. Elle part de moi et va où je ne veux pas aller. [...]
> Pendant que moi depuis le 12 février de cette année, j'essaie de toutes mes forces de saisir de brèves lueurs de vérité, ou au moins que je fais tout ce que je peux pour mentir le moins possible, l'auteur n'est occupée que de cette histoire. A raconter une histoire idéale. Elle y va... Si lentement qu'entre-temps, je raconterais dix histoires. J'écris sous terre, dit-elle, comme une bête en fouissant dans le silence de ma poitrine. [...]
> Une différence entre l'auteur et moi : l'auteur est la fille des pères-morts. Moi je suis du côté de ma mère vivante. Entre nous tout est différent, inégal, déchirant. (p.153-154)

La *mise en je* est inhérente au cours même de l'écrire qu'elle fonde, qui est dis-cours forcément ; un révélateur de la double exigence qui place l'écriture sous tension extrême : entre la scription et la diction ; entre la fiction (cohérente, achevée, une histoire) et le fractionnement ; entre les effets du texte et les affects dont la violence fait de l'écrivain « un corps lisant avec la tête coupée » (*A*, p.91)[10] ; tension également entre la lenteur de la graphie organisant la page et la surprise télégraphique du sens « par éclairs » (*J*, p.155), illumination. L'œuvre naissant et se nourrissant d'un handicap qui est l'essence même du geste d'écrivain : « nous tâcheronnons pendant des mois pour recopier l'éclair », nous qui « sommes faits d'une étoile sur un bout de bâton » (*A*, p.70).

Ecrire, par suite, c'est procéder à la nécessaire liaison des contraires, liaison interne au texte, qui constitue son présupposé (écrire-non écrire), sa structure essentielle ; car ici — et comme Walter Benjamin le relève chez Hölderlin — « on ne peut saisir les éléments à l'état pur, mais seulement la structure relationnelle où l'identité de l'essence singulière est fonction d'une chaîne infinie de séries »[11]. Autrement dit, un ordre de l'écriture se dessine où la pluralité des relationnements ne va pas sans une saisie affective et lyrique, et où la pensée a lieu textuel, fait corps avec la lettre, advient « en plein dans la terre du texte » (*J*, p.156). Ainsi faut-il entendre la « vérité » du texte : comme une *esthéthique* où les deux h font lire esthétique avec éthique. Par là se réinscrit, en constellations infinies, le nœud contradictoire où achoppent les significations.

Ce récit-là n'est pas du roman, ne cherche pas à faire illusion ; il est lieu d'affrontements où « je » ne cesse de se faire des scènes. Dans ces fictions-là, c'est question de vie ou de mort ; question vitale — c'est-à-dire suicidaire car le « jeu avec le feu » est prométhéen : « Ecrire un livre est un suicide recommençable. Un livre a tout du suicide, sauf la fin » (*A*, p.254).

Tout se jouera donc sur la page : au mot, à l'erreur, à la surprise. L'œuvre sera saisissante ou ne sera pas. Rien qui soit évacué hors champ. C'est sous mes yeux exorbités que ça déborde, et non pas dans un ailleurs dérobé ou allusif. La fiction fonde la réalité, l'invention la vérité, la théâtralité la vie. Sans échappatoire littéraire, morale, idéologique. Comme toujours dans les livres d'Hélène Cixous, la langue fait pièce *à* et *pour* la pensée : qu'elle empêche de s'installer mais qui y trouve de conséquents dérivatifs et des rebonds inattendus. La mise *en je* qui désigne le différend fondamental, le drame du sujet, c'est le combat avec *l'ange* et c'est *l'enjeu* même de la littérature, tenant à l'œil le gagne-perd de sa non maîtrise qui permet, à ce prix, de « muter littéralement ».

> Je lisais : « Il n'y avait plus rien sur terre que rien » , racontait Cello. Je lisais Celan. [...]
>
> Un Dieu avait pourvu à son besoin de pleurer en inventant Celan, le poète au nom renversé, le poète qui avait commencé par être appelé Ancel, puis avait cessé d'être appelé Ancel, puis s'était appelé lui-même :

> Celan, et c'est ainsi qu'il était sorti de l'oubli dans lequel on l'avait glissé, *en s'appelant contrairement*, et le voilà debout sur le sol silencieux, la poitrine pleine de branches de violoncelle. C'est seulement ainsi que l'on peut s'avancer, en commençant par la fin, la mort la première, la vie ensuite, ensuite la vie chancelante, si chancelante, si chance, si celante.
>
> Songeait-elle, l'auteur, tremblante. (*J*, p.14) (l'italique est dans le texte).

Ici, déjà on peut le lire, dans cette écriture qui rend la pensée sécable puis multiplie les intersections, l'enjeu de la littérature dessine un partage décisif entre roman et poème. Hélène Cixous rejette le roman qui « oublie ses décombres » (*A*, p.225) et « le peuple des passions » à la Dostoïevski (*id.*, p.224) :

> Nous sommes en proie aux anges, mais comme nos anges sont toujours des empêcheurs, nous ne savons jamais quel genre de bien ils nous infligent. Ils prêchent pour le haut, nous penchons pour le bas [...]. Je veux ce qui n'est ni donné, ni prêt, ni achevé, je veux les laves, je veux l'ère qui bouillonne avant l'œuvre, avec les germes innombrables, les énervements, les colères [...], rien n'est joué, personne n'a gagné, je veux la vie avant le déluge et avant l'arche, parce qu'après, tout sera rangé [...]. Des centaines de personnages seront chassés de l'œuvre. Le roman oublie ses décombres. (*A*, p.225)

A l'horizon de l'œuvre il y a d'une part le repoussoir-roman, d'autre part le paradigme-poème, qui est le nom de « l'existence lointaine du livre, son errance d'étoile » (*J*, p.9)[12], livre « latent », pas écrit, « gardé perdu » (*J*, p.10) car garant *du désir* : d'écrire, de reprendre le trait. Le poème donne corps à l'écrit : c'est affaire de « sensation physique » (*J*, p.9), de « certitude cardiaque » (id.), rythmes, rimes, passages — qui relèvent d'une temporalité autre, celle du pluriel de Jours de l'an par exemple. Mais pour autant, « avec les mots, la musique, les images, avec le désir et la douleur, on n'a quand même pas de quoi faire tout un livre » (*J*, p.10). Entre deux impossibles, entre deux ratures, c'est là que l'écriture cixousienne élabore : ni roman ni poème mais tenant l'intenable partage ; la position de l'écart. Redonnant du corps poétique au récit ; faisant du livre un retard sur fable — comme Marcel Duchamp fait du tableau un « retard sur verre » —, réfléchissant son processus de perte.

Cet écrire-penser n'a de mesure que ses erreurs (écrit « par erreur : par définition ») (*J*, p.59), et de progression que ses repentirs (corrections). Le livre travaille à maintenir l'écart : ce qu'annonce *l'ange au secret* en son titre, retrouvant l'étymologie de *secretus* — séparé, à l'écart, et promettant un empêchement à dire, à communiquer. En somme, il n'y a pas lieu d'arrêter, ni de conclure. Sans fin, plutôt : repasser le trait.

*

Hélène Cixous écrit dans *Jours de l'an* :

> [...] ce que l'on pourrait donner de plus aimant à une personne, c'est-à-dire de plus donnant, j'imagine que ce serait son portrait *en vérité*. (p.113, en italique dans le texte)

Repassant rapidement sur ce que je viens d'exposer, je voudrais tenter d'esquisser ce portrait *en vérité* de l'écrivain, c'est-à-dire le portrait de l'écriture *en difficulté*, ici, sur la page. Et pour cela reconsidérer le dessin de Picasso : *La Repasseuse*, qu'Hélène a elle-même choisi dans la collection du Musée Picasso (Paris) pour le commenter dans un volume collectif du Musée du Louvre intitulé *Repentirs*[13].

Ce dessin me paraît, justement, inscrire « la vérité » de l'écrivain en repasseuse. Figure à deux têtes, elle n'est point Janus bifrons faisant face, mais écartelée entre bas et haut, penchée dans la minutie de sa tâche, renversée dans l'imprécation au ciel ou l'apostrophe ; celle qui fait, celle qui pense ; tête du corps, tête de l'âme.

Il y a davantage et au sens de la figure s'ajoute le sens de l'affect. Car les repentirs du trait disent aussi cela : le corps ne tient pas à la tête. *Entre* les deux têtes, il y a l'espace d'un *pas de tête*. Un repasser, un écrire « avec la tête coupée ». Avec l'émotion. Entre écrire et penser, le battement affectif — syncope. (« Je préfère garder la tête coupée », *A*, p.92).

> Je ne veux pas dessiner l'idée, je ne veux pas écrire l'être, je veux ce qui passe dans la Repasseuse, je veux le nerf, je veux la révélation de la Repasseuse cassée. (*Repentirs*, p.60)

Pourtant, ce n'est pas exactement le portrait d'une décollation de l'écrivain en Repasseuse. Ecrire-penser, certes, cela ne vas pas sans casse. Sans y perdre : la tête. Mais il y a davantage. Dans les décombres du trait, l'ouvrage des repentirs. L'écrire-penser d'Hélène Cixous, c'est cela plutôt : dans tous les cas de figure, si j'ose dire, *tenir tête à la tête*.

NOTES

* Une première version de ce texte est parue dans *Du féminin* (collectif), Grenoble-Québec, Presses Universitaires de Grenoble, Le Griffon d'argile, Collection Trait d'union, 1992.

1. Les citations font référence à : Hélène Cixous, *Jours de l'an*, Editions des femmes, Paris, 1990, abrégé *J* ; Hélène Cixous, *L'ange au secret*, Editions des femmes, Paris, 1991, abrégé *A*.
2. Jean-Luc Nancy, *Le discours de la syncope I. Logodaedalus*, Paris, Flammarion, 1976, p.13 : « Ce qui fonde, ce qui soutient, ne doit-il pas être « lui-même » *insoutenable* ? »
3. « [...] on peut vouloir, et s'approcher et rester sur le point de sans volonté. C'est le plus difficile : vouloir sans volonté », *L'ange au secret*, p.16.
4. On retrouve là des accents derridiens quant à l'origine-ruine, *la question de* l'origine : « C'est comme une ruine qui ne vient pas *après* l'œuvre mais reste produite, *dès l'origine*, par l'avènement et la structure de l'œuvre. A l'origine il y eut la ruine. A l'origine arrive la ruine, elle est ce qui arrive d'abord, à l'origine », Jacques Derrida, *Mémoires d'aveugle*, *L'autoportrait et autres ruines*, Paris, Louvre, Edition de la réunion des musées nationaux, 1990, p.69. Les italiques sont dans le texte.
5. Jean-Luc Nancy, *Le poids d'une pensée*, Grenoble-Québec, Presses Universitaires de Grenoble, Le Griffon d'argile, Collection Trait d'union, 1991.
6. Edgar Allan Poe, *Le portrait ovale* : « Il ne voulait pas voir que les couleurs qu'il étalait sur la toile étaient *tirées* des joues de celle qui était assise près de lui. Le portrait presque fini, le mari fut frappé d'effroi ; et criant d'une voix éclatante : « En vérité c'est la *Vie* elle-même! », il se retourna brusquement pour regarder sa bien-aimée : — elle était morte ! »
7. « La manière dont je me bats contre moi-même est celle du matador et du taureau. Dans l'arène, suis-je le matador qui au fond n'ose pas franchement courir sus au taureau [...] ou bien suis-je le taureau qui ne répond pas, qui ne se jette pas sur le matador [...]

Il y avait entre le matador et le taureau un mélange si mystérieux de paix et de guerre et de résignation. Il ne sert à rien de combattre dans l'amour. L'un de nous doit perdre la tête. Qui que nous soyons et quoi que nous fassions, dans l'arène il est écrit que la bête mourra. [...] Moi en tant que taureau et matador je suis condamné à mort. », *Jours de l'an*, p.25-27 et 30.
8. « [...] le livre de l'ange est possédé par le livre du démon, le livre de la raison est secoué par le livre de la folie, tout est double, l'idée d'un personnage ouvre la fenêtre et se jette dans l'autre texte », *L'ange au secret*, p.69.
9. Après le récit du mythe de Thot et la critique de l'écriture, Socrate, on s'en souvient, leur oppose les paroles de la nature : « [...] les premières paroles divinatoires étaient sorties d'un chêne. Ainsi les gens de ce temps-là, eux qui

n'étaient pas des « savants » comme vous autres les modernes, se contentaient, en raison de leur simplicité d'esprit, de prêter l'oreille au chêne et à la pierre, pourvu qu'ils disent la vérité », *Phèdre*, 275b.

10. « J'ai trop peur de lire et de ne pas être saisie de tremblements [...]. Mais j'ai également peur d'apprendre « les choses » et de ne plus les ignorer, et de perdre le noir et la curiosité. Et aussi de « penser », ce que je ne faisais pas alors, quand je n'étais qu'un corps lisant avec la tête coupée lisant avec le blanc des yeux, l'odorat et la bouche entrouverte, et le cœur à moitié décroché [...] Je préfère garder la tête coupée », *L'ange au secret*, p.91-92.

11. Walter Benjamin, *Mythe et Violence*, p.61.

12. « Elle avait cherché comment appeler ce livre qui n'avait pas été écrit. Cette chose retenue, — cette attente qui ne mûrissait pas — et faute de nom pour désigner une chose qui n'était pas de ce monde, le nôtre, le visible, s'était proposé le mot « poème ». Cela n'était pas entièrement inconvenant — : — l'existence lointaine du livre, son errance d'étoile dont nous sentons sans jamais la voir la présence d'un autre ordre que la nôtre [...]. Les poèmes aussi sont de cette nature astrale, étincelles qu'ils sont d'un feu mort ou lointainement imminent » *Jours de l'an*, p.8-9.

13. Hélène Cixous, « Sans Arrêt non Etat de Dessination non, plutôt : Le Décollage du Bourreau », in : *Repentirs*, Paris, Louvre, Edition de la réunion des musées nationaux, 1991, p.55-64.

CIXOUS HORS LA LOI DU GENRE

Quel genre fait-il dans les livres d'Hélène Cixous ? La question se pose comme on dirait : quel temps fait-il ?

Il fait bon, il fait mauvais, il fait tous les genres dans l'œuvre Cixous. Et davantage. Car le texte en fait toujours plus. Et elle-l'auteur, et Je-les voix de l'écriture.

Quel genre fait-il ?

Questionner l'œuvre ainsi, c'est l'arracher dès l'abord à l'avoir et à la qualification de l'être. Quel genre *a*-t-elle ? Quel *est* son genre ? L'arracher c'est-à-dire à l'appropriation et à l'attribution de qualité(s) : à ce qui permet le propre, le tour du propriétaire, le mien qui n'est pas tien, et qui exclut qu'on puisse (y) mettre du nôtre. Y mettre. Y.

Y : c'est le lieu que tente de constituer-inventer l'écriture d'Hélène Cixous. Lieu indéfini et infini (qui n'est point marqué en ses limites) ; signe de la croisée, de l'ouverture ; éclatement, éclat, étoile ; patte d'oie, biffur (dirait Leiris) ; fourche (des chemins et de la langue) ; symétrique dissymétrie, ni un ni deux, ni l'un ni l'autre mais plus : une croissance, une effervescence. L'une et l'autre, qu'Hélène joue à écrire « *Lune* et l'autre » — qui est dès lors la terre, renversant ainsi les points de vue[1]. Lieu de la dis-location, du déplacement, du départ et du départir, c'est aussi le lieu de l'être-sans-qualités, soustrait à l'échelle de grandeurs préétablies, à l'ordre des valeurs qui assignent d'ordinaire le monde à résidence, dans les enclos de la référentialité et de la psychologie.

Le genre qu'*il fait* dit au contraire l'être dans sa survenue, dans le « ça arrive », « ça fait », avant même de savoir quoi, qui.

Surgissement au lieu même du verbe — et non pas rangement dans des catégories d'attribution. Surgissement dans l'impersonne : en amont de tout diktat de la personne, du personnel, de l'humain. Et l'Y, adjoint verbal qui ne jointoie ni ne colmate, serait à cet égard, symboliquement, la seule signature possible : celle de l'être qui ne fait pas l'économie de la tache aveugle qui le constitue, et met l'impersonnel à son actif :

> (*Moi* : Clarice est innocente ; et en même temps elle ne se laisse pas avoir ; par rien.
> N.B. : L'expression : *ne pas se laisser avoir.* Et toutes les expressions avec *laisser*, voilà la signature (celle de Clarice). C'est une personne qui le plus souvent *se laisse aller.* Et elle va. (*Déluge*, p.216)

Ces lignes, à l'écoute littérale des mots, disent assez que la question de l'être ne relève pas de l'avoir : il ne s'agit pas de se laisser « posséder » ; c'est-à-dire pas tromper mais aussi pas définir par son avoir. Ou encore : ne pas se laisser tromper par le fait de posséder. Pas arrêter. Car, avoir c'est tout le contraire : c'est *être eu.* Etre pris. Prisonnier. Et le seul salut, la seule sauve-garde — comme le mot est éloquent et précis pour désigner à la fois la déchirure et le gain, le gain *de* la déchirure — la seule sauve-garde est : la perte. Se laisser aller. « Et elle va. »

C'est désigner la perte comme nécessaire ; accepter qu'elle soit nécessité pour une dynamique. Jamais pour une finalité : but, visée, fin. Terminus. Pour qu'elle aille. Et elle va — absolument. Il n'y a pas de complément, de circonstance, de lieu, de destination. La perte fait porte, il suffit. L'être c'est l'être-en-route. D'où l'importance de l'Y dans son illimite, qui ne s'échange contre quoi que ce soit, ni balise ni enceinte.

> Dieu merci, il n'y a pas que le monde. Au-delà du monde il y a l'Autre côté. On peut passer, c'est ouvert ou ça s'ouvre. Dieu merci on peut y aller. Où ? Y.[2]

Y — brèche dans le néant, fente, fronde. Qui fait signe, cri. Mais pas phrase ; pas sens. Pas encore. Fait passe. Dit au moins ceci : l'envers (l'autre côté) est un *endroit.*

Lorsque Maurice Roche par un accroc voisin écrit : « je ne vais pas bien mais il faut que j'y aille », c'est sur la béance destinale de l'être, c'est-à-dire son négatif, son anéantissement, qu'ouvre le texte. Avec

Hélène au contraire, c'est toute l'énergie du signe de l'être-en-route qui se trouve à l'œuvre : par quoi la perte est bénéfice ; le signe de l'Autre, l'inconnu(e), vecteur de vie.

C'est à l'enseigne de cette ligne de force de l'altérité qu'Hélène Cixous « traite » du genre. Traite c'est-à-dire transforme, échange, troque, négocie. Ne laisse rien intact des classifications préétablies. Et d'abord : l'œuvre s'attache à faire jouer tous les sens du mot *genre* — dont on oublie trop souvent qu'il signifie, en français, dans trois domaines au moins : du biologique (génétique et sexuel), du grammatical, du littéraire. Or, c'est précisément de cette articulation qui les considère ensemble, et de la triple pratique conjugant des interrogations d'ordres divers, que naît la nouveauté de la démarche d'Hélène. Serait-ce à dire que le genre Cixous est de n'en avoir pas ? De les emprunter tous ? Evidemment, ce n'est pas si simple. Ce triple abord de la question du genre dans l'optique cixousienne donne à la problématique un tour spécifique en ce qu'elle est indissociable de celles : 1) de l'outre 2) de l'art.

Quant à l'outre

La question du genre c'est... une question, justement. Son maintien comme *question*, qu'on ne peut que s'employer à mettre en œuvre, à relancer. Car elle est dans l'irrésolution. Il n'y a pas de répertoire, de catalogue, de classe qui vaille. Ni, par suite, de revendication d'*un* genre plutôt que d'*un* autre ; pas de loi d'un genre *sur* l'autre : du « règne » humain sur le « règne » animal et celui-ci sur les « règnes » végétal et minéral. Ou bien du masculin sur le féminin — et vice versa.

Si bien que la question de l'identité, du « Qui je ? » s'assortit d'un « Où je ? ». Plus exactement : *jusqu'où* Je, toi, l'autre ? L'interrogation, autrement dit, ne se réfère pas à un fichier, une étiquette : elle a trait à des seuils et à de l'entre. Où se déborde la bordure ? S'affronte la frontière ? Où la porosité des limites, l'incertitude des partages, la fragilité des règlements ?

Jusqu'où puis-je aller et que ce soit encore Je ? interroge Cixous. Ou de l'humain ? Ou de la comédie ? Et jusqu'où plus-de-je ? Et : pas-de-jeu ?

L'autre à mon bord, qui marque mon bord, l'autre est l'outre. L'outre-passer. Outre-même, outre-monde, outre-mon.

Telle est la marge de manœuvre dans laquelle s'inscrit le différentiel des genres : un entredeux où sans cesse l'enjeu est de toucher aux limites, jouer avec, y disposer des passes. C'est à mesurer les rapports que travaille l'écriture : à saisir en quel point la différence minuscule fait un écart majeur ; le sens fait sens inverse, l'humain devient non-humain ; où les extrêmes majeur-mineur, masculin-féminin, prose-poème, se côtoient, ont réciproque besoin, forment les deux moments (forces, mouvements) d'une dynamique. Bref, cette façon de s'en tenir à la question du genre postule : « Un » (individu, unique) cela n'existe pas. « Un genre » n'existe pas non plus. Une hiérarchie des genres pas davantage.

Cet outre-passage, je le place à l'emblème de *l'Outre* qui intitule une nouvelle de *Prénom de Dieu* et désigne, à la fois substantif et adverbe, le contenant de peau qui vibre ou se vide au gré du vent, et le désir d'élévation. Belle métaphore de notre corps plein d'affects et de la fondamentale duplicité qui nous déchire : entre grandeur et familiarité, aspiration et vacuité — *un* et *une* outre.

Quant à l'art

L'affaire n'est pas banale et pourtant on oublie souvent d'en faire mention : c'est dans l'écriture de fiction, dans le roman, le poème, le lyrisme, le théâtre, qu'Hélène Cixous remet à l'œuvre et à la question, le genre. Dans la fiction et pas dans l'exercice de la théorie, ou de l'essai, ou de la thèse, ou de la philosophie. On se souvient, à cet égard, de la page de couverture du roman paru en 1972 : *Neutre roman* où titre et sous-titre se placent mutuellement sous rature, la conceptualisation annoncée révélant un socle fictionnel cependant que le romanesque affiche une aspiration à l'abstraction. Les genres ainsi connotés par les deux mots se (re)biffent, s'infirmant l'un l'autre.

En fait, choisir la fiction c'est faire levier (du sens) en prenant appui là où advient l'épreuve, l'entame, la forge de la différence et du polymorphisme, c'est-à-dire dans la langue. Une langue d'invention.

> Il fait si sombre ici où je cherche une langue qui ne fait pas de bruit pour chuchoter ce qui n'est ni vivant ni mort. Tous les mots sont trop forts, trop rapides, trop assurés, je cherche les noms des ombres *entre les mots*. (*D.* p.111 ; je souligne)

Ces lignes en font acte : mot et mort consonnent. Il faut travailler à bouger dans la langue sous peine de lettre morte — d'arrêt (de mort).

Choisir pour lieu d'intervention la fiction et non la théorie, c'est non moins préférer le terrain de l'imaginaire à celui de l'idéologie féministe ; l'art à la démonstration ; l'affect à l'abstraction. C'est, plutôt que la langue de bois (conceptuelle, terminologique) chercher la langue de chair et de sang qui est langue de la poésie.

> Il faudrait pouvoir se tailler une langue dans le gras de la chair à l'endroit où le chiffre est tissé dans l'épaisseur, pour que *ça parle de soi*. (*D*., p.129 ; je souligne)

Que parler de soi parle/aille de soi : cela ne peut être que la tâche de la langue-chair en ses réseaux vifs et mouvants qui font corps-à-soi. C'est-à-dire, la tâche de l'art. La perte qui fait porte, porte (à) l'art : écriture, peinture, musique. Et à ce que, prenant cette fois Rembrandt pour emblème, Hélène Cixous appelle : « peindre à l'étranger », « *hinaus in die Fremde der Heimat* s'en allant par la porte du tableau » (*Jours de l'an*, p.97).

Le passage ouvert par l'art, lie dans cette image le secret de la création à l'Autre : féminine, patrie, Orientale — la fiancée ; la Fiancée juive. C'est « l'autre origine », « l'origine étrangère » vers laquelle « certaines personnes tendent leur vie comme un arc ». C'est « la source inconnue » ; « l'étrangère qui plante dans le sein comme un couteau le désir déchirant du tableau prochain » (*J*., p.97). Et de même que Rembrandt, derrière la porte, retrouve la Fiancée juive « qui n'a pas peur » (*J*., p.28). , de même et inversement, Clarice Lispector, note Hélène Cixous, a le courage de la transgression inouïe dans l'*outre-sexe* : c'est en tant que Rodrigo qu'elle trouve l'entrée de son livre, « en tant qu'un homme qu'elle a fini par devenir au prix d'un aller sans retour » (*J*., p.28). Estranéation totale dont Hélène Cixous note la trace dans l'écriture de Clarice : « Je ne suis pas moi. Je parais appartenir à une galaxie lointaine, tant je me suis étranger » (*J*., p.29).

Tel est le syndrome cixousien qui préside à la question du genre ; lui donne une direction stellaire : cette constellation de l'autre, l'outre, l'art.

Je vais en suivre quelques branches et embranchements, en gardant en mémoire ceci : que la langue est organe vivant dans la bouche *et* corps de signes. Que tout sujet affecte le texte : narcissique, il *paonne* ; pensant, il *paonse* (*Neutre*, p.193 ; je souligne). Que le sujet qui perd la tête est, chez Hélène, un *Ujet* (*N*., p.193) (décapité de sa première lettre) — Ujet qui affole l'écrit jusqu'à *outre-texte* : où le texte s'excite. Littéralement. S'exproprie en générant des citations, références, signatures, textes qui lui sont étrangers. Ne le reproduisent pas.

> Le texte saisi d'envie, d'hilarité, de ressemblance, vagine, rit, se couvre de taches, de sexes différents et d'effets de siècles, et se déroule, Nil, ni l'un ni l'autre, ni Soi-même, mais parcouru, courant, extraordinaire, naturel, ni Achille, ni Amazone ni Hamlet père ou Hamlet fils, mais de tous l'enfant : sa mère est sans limites, et il en jouit... (*N.*, p.193)

Ces dernières lignes de *Neutre*, qui disent perte et renaissance indissociablement, exposent une nature « dénaturée » de l'écrire. Lequel est moins inscrire qu' *ex-crire* : excrire le fait (les faits) d'un sujet, d'un genre, d'espèce étrange. Plus exactement : *excrire* l'inscription. C'est-à-dire, selon Jean-Luc Nancy, faire « que l'inscription soit l'être-inscrit, ou plutôt l'être-inscrivant véritable de l'inscription elle-même. » Telle est la seule modalité de l'exister-écrire qui permette de « faire *poids* au sein de la pensée et malgré la pensée : d'être le sein, le ventre, l'entraille de la pensée. Charge de sens en excès du sens même. »[3]

Le travail d'écriture d'Hélène Cixous, son souci d'écrivance, surgit précisément en ce lieu (d')impossible : une pensée malgré la pensée. Une pensée qui fait corps, sang, sens, sans, sens dessus dessous. Une pensée qui excède de tout son poids — de chair. S'ouvrent ainsi des espèces d'espaces, mental et scriptural qui, radicalement, confrontent à la question de la norme et de l'ab-norme.

L'innommable filiation ou la crise de grammaire

Neutre pose la question du seuil. Avec acuité, met à la question le seuil par excellence : l'engendrement, le passage à la vie, la reproduction de l'espèce, la génération du même, ou de ce qu'on escompte tel, immuable. Ainsi que la naissance de l'impossible, du monstre — ab-norme, innommable. Ceci : que « sans péché, sans tache héréditaire, sans trouble psychique ou hormonal » une jeune femme « accouche dans des conditions normales, sans intervention médicale, magique ou superstitieuse, d'un... (être) » (*N.*, p.62). Là, déjà, le texte balbutie en tentant de dire l'indicible, suspend, marque réserve. Car c'est l'impensable accident génétique, le ratage de la loi de nature ; par hasard, le non-humain qui surgit *au lieu* même de l'humain, et manifeste l'inexplicable « désarticulation des composantes au niveau le plus secret, un éclatement des alliances les plus anciennes et les plus vénérables » (*N.*, p.63). Le paradoxe, la folie, c'est bien ceci : il y a solution de continuité *mais dans* le fil, *dans* le droit fil, la filiation même. Il y a solution de continuité et pas.

Car il y a *fils* : même si a failli la reproduction mimétique de l'humain gigogne, la rassurante mise en abyme, miroir, poupée russe, humain miniature dans le ventre humain. Il y a, dans ce passage de l'une (donnée) à de l'autre, absolu, lien et abîme : où la langue s'abîme, la grammaire est en crise, privée d'antécédents, de matrice, de Littérature-mère ou grand-mère, de nom, genre, sujet, complément dans les règles.

> Par quelle tortueuse et cruelle taxinomie pourrait-elle ensuite regagner le sol immémorial, où les femmes sont faites mères, et les mères sont femmes, et les fils sont sujets masculins singuliers et compléments naturels du nom mère. (*N.*, p.63)

Et le plus émouvant, sans doute, dans les bribes de la Littérature qui sous le choc a volé en éclats et (dé)compose *Neutre*, le plus émouvant est de noter que, pour inventer une désignation à ce fils innommable — *l'être lettre*, désormais mentionné dans l'ouvrage par « le f », ce qui s'entend « le feu » en français, et bientôt fait flamber l'écriture, la saborde (ça borde : au rebord extrême du sens), la fait cendres — le texte d'Hélène Cixous retrouve les accents que Shakespeare donne à la description de la sénescence. Pour la génération du non-humain, elle reprend en écho le texte de l'autre extrémité, la vie à toute extrémité, la dégénerescence (*second childishness*) qui est au cœur du Monologue de Jaques dans *As you like it*. Et *As you like it*, à l'occasion, s'entend soudain non pas « Comme il vous plaira » mais : « *You* like *it* » : comme *ça*, « ce sans-bras, sans-jambe, sans-membre » écrit Hélène Cixous (*N.*, p.26) ; « sans teeth, sans eyes, sans taste, sans every thing »[4], prononce le personnage de Shakespeare dont l'écriture permet la mise en œuvre de ce monstrueux *court-circuit* de l'humain. Vie-mort ensemble et ni l'une ni l'autre. Humain court-circuité, de moins en moins humain, par quoi le texte de Cixous s'emploie à dire : qu'on ne peut dire. Qu'il y a : rien. Du manque. De la perte. Infiniment infimes. Car ce qui est sans nom c'est, évidemment, *le passage* de l'humain au non-humain : le lien, le *cordon* de peau de l'un à l'autre.

Un texte récent et de facture différente — théâtre lyrique — reprend l'interrogation quant à l'humain dénaturé, « ce balbutiement de l'espèce »[5]. Avec *On ne part pas, on ne revient pas*, la poupée russe de la reproduction est devenue mongolien ; et les approximations comparatives abondent : « lapin écorché », « chien clandestin » (p.83), « plutôt chiot » (p.88), « poterie ratée » (p.83), « monstre » (p.83), « Homunculus raté » (p.84), « vampires innocents » (p.91),« larve » (p.84),

> [...] sans âge, sans parole, sans lumière,
> Qui sont ces sortes de Chinois demandais-je (p.80).

A la faveur des ratures taxinomiques de la langue, du rythme nerveux, heurté, d'une prose coulée dans la mesure poétique, et d'un Logos pris de vitesse par la diction, on retrouve des constantes qu'il est temps de récapituler :

1. Les extrêmes se touchent, dans un intenable-incroyable passage. Le plus proche (chair de ma chair) est le plus étranger ; le plus familier, le plus monstrueux ; le plus intime le plus extérieur. Le plus haut le plus bas parce que « avec orgueil, avec innocence [...] nous accouchons au nom d'un Shakespeare » — et le mongolien, Lucie l'a nommé William :

> Poor William, my poor fool, mon dénommé fils,
> Ni humain ni non humain (*O.*, p.83).

2. Ce court-circuit est le sort de l'humain voué au dérisoire, à la tragédie et à la comédie. Un accident — une « larve tombée de l'arbre par hasard dans mon lit » — et voici Je « Chassée sans le savoir de la nature humaine » (*O.*, p.84). Le mongolien « nous déracine et nous dénature » (*O.*, p.86).

3. La leçon de tout cela est qu'il faut récuser l'anthropomorphisme et la psychologie. Le possessif est sans objet : mien n'est pas mien. Le catégorique sans prise. La prétention caduque, au mimétisme, à la perpétuation de l'espèce, à la fable de l'homme à l'image de Dieu et la terre à l'image de l'humain.

4. Il y a davantage : un autre point de vue, d'urgence, s'instaure. Ou plutôt, le point de vue de l'autre : végétal, animal — « Un végétal ou tout au mieux un animal/Voilà ce que William réussira à être » (*O.*, p.82) — ou astral. C'est-à-dire le point de vue de la non-terre, des astres, du désastre. Il s'agit là, véritablement, de déconstruire les rapports de force, de désarmer les relations de l'humain au monde. Ce que Hélène Cixous appelle : « déhiérarchiser, tout » (*supra*, p.22). Toute une philosophie de vie cherche, ainsi, à (s')inventer.

Outre-sexe, outre-texte

La problématique de la différence sexuelle et du masculin-féminin, la démarche d'Hélène Cixous la prend de haut : dans la perspective plus vaste du genre humain. Envisager quelque hégémonie d'un sexe sur l'autre est, par suite, une attitude hors de propos. C'est *en regard*, en miroir, que le texte dispose masculin et féminin.

> Et soudain, c'est *la* réalité. En plein milieu *du* rêve, *une île* dans *un* océan de rêves, et c'est *la* terre. C'est *elle*. C'est *lui*. C'est la réalité. Mais la réalité aux traits parfaits, comme dans le rêve. La chance c'est ça. La chance arrive. Nous regarde. On se voit. Il se produit la simplicité absolue de miroir : les deux personnes sont soudain pareilles. (*D*., p.148 ; je souligne)

Dans ces lignes, le féminin et le masculin, avec régularité, forment une alternance. Disent une alternative : altérité et équivalence, équivalence *dans* l'altérité. Ces lignes disent aussi la ressemblance : le renversement et le rassemblement des deux genres. Et, corollaire, dénoncent la division, lorsque « nous sommes le morne individu personnel au lieu d'être l'humanité » (*D*., p. 128). Cette perspective sur une humanité véritablement réalisée par la complémentarité des deux genres n'est pas sans faire écho à la vision du romantisme allemand — de Schlegel, en particulier, dans *Lucinde* :

> c'est lorsque nous échangeons nos rôles et, qu'avec un plaisir ingénu, nous rivalisons pour voir qui peut singer l'autre en donnant le plus d'illusion et pour savoir si la virtuosité pleine de ménagement de l'homme te réussit mieux à toi, qu'à moi l'abandon plein d'attirance de la femme. [...] Je vois là une allégorie merveilleuse dont la signification est lourde de sens : la masculinité et la féminité se parfont et atteignent la pleine humanité totale[6]

Par suite, il est clair que l'écriture d'Hélène Cixous s'efforce de faire jouer les alternances dans un texte qui porte la trace de ces altérations et fait de l'hétérogène, qui lui est constitutif, un ressort :

> ce livre pourrait s'appeler *Pierre Vole*, personne ne saurait ce que ce titre veut dire. *Pierre Vole* volerait, et atteindrait son but secret, tout le monde recevrait une pierre ou un autre, l'essentiel c'est que « Pierre » volerait, il ou elle venant d'un il ou d'une elle, ou d'une île ou d'un el. (*D*., p.196)

Ici, l'audace de l'écriture tient évidemment à l'application jusqu'au boutiste d'une logique d'alternance des genres qui fait la loi à la langue : postulant qu'à un féminin répond toujours un masculin et vice-versa, l'écriture a) fait jouer tous les possibles : et la pierre devient un Pierre nom propre ; et le calembour propose l'écho « un il », « une île » ; b) fait intervenir l'impossible : qui écrit, en toute conséquence, « une île, un el ». Tout cela, dans/hors le système de signification, est parfaitement lisible.

C'est ce dispositif qui me paraît passionnant sous la plume d'Hélène Cixous car loin d'être un jeu arbitraire et gratuit, il ouvre, systématiquement, logiquement, la porte sur « l'Autre côté » du texte. Il faudrait, à ce propos, conduire une analyse pointilleuse. Je ne fais qu'esquisser ci-après quelques directions.

1. Masculin et féminin ne sont pas seulement en miroir-regard mais en indécision, participant ainsi de *l'enchevêtrement* qu'est la personne. Davantage : ils sont en intersection, comme il se dit pour les ensembles mathématiques. C'est-à-dire qu'il n'y a pas, tranché, d'un côté le masculin, de l'autre le féminin, mais *l'un dans l'autre* comme on dit, approximativement et tout bien pesé, le masculin *du* féminin et le féminin *du* masculin. Ce que tout un lexique métamorphique tend à signaler. Le texte met en scène *un* fourmi, *une* météorite, *une* aigle, *la* rêve. Le pronom indéfini *tout* a son doublet féminin qui bouleverse les accords : « Tout est vérifié [...]. Toute est parfumée » (*D.*, p.136-137). Bref, ici, à nouveau, importe de faire porte ; ouvrir, trouver, montrer *le passage* du masculin au féminin — et retour.

2. On mesure mieux, par suite, l'intérêt de choisir *l'écriture* de *fiction*, et le rôle spécifique que jouent l'une et l'autre.

3. D'abord l'écriture. Dans *Déluge*, pour la première fois, Hélène Cixous, étrangement, donne un nom, un nom propre, à l'« écrire ». Ou plus exactement, pré-nom. Un nom de personne qui est aussi un nom biblique, *un nom du Livre* : et c'est Isaac.

> J'aime. « Isaac » : c'est le nom que j'ai donné à mon amour, pour qu'il ait un nom. Parce que si je dis simplement j'aime « écrire » , ce n'est pas ça. C'est un tel mystère. C'est l'autre. Ce n'est pas moi. (*D.*, p.134)

Or, par ce coup du nom, qui dé-nomme et re-nomme l'écrire, Hélène

Cixous nous refait ici le coup, mais au masculin, de la Fiancée : Isaac, le Fiancé, juif, qui n'a pas peur. Qui est « un cas de créature suraiguë, mais humaine, mais à peine du genre » (*D.*, p.207). Et avec qui elle fait couple, capable d'instaurer — contrairement à l'expérience de Clarice — un aller *et* retour qui décuple ses forces, la place, écrivant écrivain, en état de surcapacité, de dépassement, en cas-limite : « Ni homme ni femme plus, plus forte, plus fille mais non, aigle, mais d'incarnation humaine » (*D.*, p.208). Pour convoquer Isaac, Hélène Cixous conjugue les tropes de l'approximer : de l'inexistence, du retrait, du superlatif, de l'excès en tous sens. Homme et femme, lieu de féminin et de masculin, de singulier et de pluriel, lieu d'impersonne, d'impatience, d'insistance, Isaac « figure » bien — ou plutôt préfigure, sans visage — la croissance non-anthropomorphe, non-psychologisante, non-représentante du texte. Préfigure *ce qui advient* : *pathos*. La mise des pendules de l'imaginaire à l'heure de la graphie : le présent. Nomme ceci : que « écrire » c'est donner passage au *pathos du présent*. A ce qui advient *au* présent : lui advient, à ce présent, du débordement de l'écrire, de l'amour d'écrire. Avènement-événement : du passage et de l'amour. Par quoi dire « J'aime. Isaac », c'est faire entendre, au lieu du sujet écrivain-médium, dans le renversement de toute priorité, à l'endroit et à l'envers, l'événement de l'amour ainsi que *l'amour de l'événement* : c'est-à-dire de l'avènement de l'écriture.

4. Et puis, *la fiction*. Elle est le terrain privilégié pour donner lieu à cet amour-événement de l'écriture. Les barrières s'y trouvent pour être franchies ; la réalité pour porter au rêve ; les significations prosaïques pour les extravagances de la lettre ; le sens pour le son, le ton, le pont des jambages pleins et déliés. Autant d'éléments qui exigent que la fiction devienne le creuset des genres littéraires : n'accepte pas la loi extérieure de conventions établies mais forge ses contraintes à la mesure de son faire. Lequel est polyvalence, monstration des traces, repentirs, ratures, reprises. D'où la méfiance à l'égard d'un certain roman qui range-classe pour une téléologie du récit.

La fiction d'Hélène Cixous n'accepte pas davantage la toute-puissance des règles occultant les possibles de la langue. D'où la confiance en la poésie et l'exportation des techniques poétiques dans le tissu de la prose. La langue y reprend du corps ; et si la communication s'en trouve obérée, elle esquisse cependant des vecteurs narratifs : le Récit vient au secours (*D.*, p.82), « le Récit nous prévient » (*D*., pp. 14, 95), le Récit nous permet ou ne nous permet pas de penser que, de savoir que (*D*., pp.191, 197), le Récit comme un fil, « un fil de téléphone muet intérieur [...] de la part de moi dehors à moi dedans » (*D*., p.71), un coup de fil de David (*D*., p.63), « un coup de D dur » (*D*., p.226) « allant D-iminuant » (p.227), bref, « le Récit comme désir universel » (*N*., p.27). Le désir de sens.

Ce récit-là indique une ligne qui est sujette à caution : c'est-à-dire à embranchements et dérivations infinies. C'est un récit à la Shakespeare : « fou [...] par vent nord-nord-ouest » ; par « vent du sud [capable de] distinguer un jumeau de son jumeau »[7] ; une comédie dans la petitesse littérale des jeux de l'écriture, une tragédie dans l'ampleur des bouleversements de sens qu'ils entraînent. L'écrivain, en fait, est à la recherche de l'œuvre irréalisée, inouïe : *à deux genres contraires*.

> J'ai cherché dans les romans sur mes étagères, une histoire semblable, à deux genres contraires. Je n'en ai pas trouvée.
>
> Un corps et deux sangs qui roulent en sens opposés. (*D*., p.37)

Cette écriture qui échappe à toute codification générique, marque les blancs, les silences, les rythmes et ne retient pour vérité que la palpitation qui fait, dans le récit, une sorte de nécessité cardiaque, cette écriture cherche à répondre à l'exigence d'une littérature-à-l'arraché, qui saisit tout ensemble, mêle et épelle : « n'écri[t] pas la bonté » mais « arrache aux rochers intérieurs », au « magma », de « sombres textes ».(*D*., p.216)

*

Hélène Cixous dit qu'elle porte, confusément, une image, venue de Blake peut-être, d'un couple, debout au bord de la ligne de la terre, face aux étoiles. (*supra*, p.28)

Je le prendrai pour emblème de l'œuvre cixousienne : il en désigne parfaitement la configuration. A savoir : moi-terre toujours à l'extrême limite puisque face à (en regard de) *toi* qui est dans *étoi*le, toi qui es l'autre, l'astre et désastre (pour moi). Telle est la métaphore qui meut l'écriture des astres/l'écriture-désastre d'Hélène Cixous. Ce n'est pas celle des vérités tranchées ni des représentations en gloire : c'est celle de la garde, montée au bord de l'abîme ; de la veille ; du deuil et de l'espoir des commencements.

> [...] le déluge est notre condition, mais il n'est pas notre fin, pendant qu'il glisse à torrents sur notre plumage, à l'intérieur le rêve allume une bougie. (*D.*, p.177)

L'écriture d'Hélène Cixous, — plumage à la pluie, à la plume le rêve — à chaque livre-déluge, allume une bougie.

NOTES

1. Cf. *supra, On est déjà dans la gueule du livre. Entre tiens.* p.18.
2. Hélène Cixous, *pour Jacques Derrida*, Colloque de Cerisy, juillet 1992, Galilée.
3. Jean-Luc Nancy, *Le poids d'une pensée*, Grenoble-Québec,Presses Universitaires de Grenoble, Le Griffon d'argile, Collection Trait d'union 1992, p.11.
4. Shakespeare, *As You Like It/Comme il vous plaira*, Aubier bilingue, 1976, p.134 (Acte II, scène VII).
5. Hélène Cixous, *On ne part pas, on ne revient pas*, éditions des Femmes, théâtre, 1992.
6. Friedrich Schlegel, *Lucinde*, Aubier-Flammarion 1971, p.67.
7. Shakespeare, *Hamlet*, cité dans *Neutre*, p.20-21.

LE LIVRE D'HEUR(E)S D'HÉLÈNE CIXOUS

> Une heure passe, ils ne la voient pas passer, les montres ne remarquent rien, elle passe entre leurs mailles. Que dire sur l'heure ? Elle était en train de devenir perles, le pressentiment du futur était en train de l'enrober et de l'isoler de toute mortalité. L'heure était un corps étranger dans le temps horloger.
> Elle se poursuivait, s'étirait.
> — Dieu, se disaient-ils —
> — Est-ce que c'est par là ?
> — Ils ne vont pas tarder à se toucher
> mais je ne sais plus quand.
> Parce qu'ils ne s'entendaient pas dire les choses qui se disaient entre les mots : c'est par là, viens, qu'est-ce que c'est ?
> *Beethoven à jamais*

1. Acheminement : le livre d'heurs

Déja nous y sommes : en chemin. En cheminement. Au biffur des voies et des langues qui fourchent.

Nous sommes dans un temps qui prend le temps — en otage. Au passage. L'ôte, l'escamote. Stase. « Une heure passe, ils ne la voient pas passer, les montres ne remarquent rien ». Extase. Au fil du temps, au fil du style, des récits sont mis à voisiner, différer, dialoguer, dissembler. Et leur voisinage forme concrétions (*cum crescere*) : poussés ensemble, ils prennent corps ; parlent ; perlent. Pèsent. Déposent. Et jamais dépôt n'a mieux signalé le *mouvement* de l'œuvre vers laquelle il porte.

Entre fut et futur, entre tant et instant, « entre les mots », l'écriture montre ce que la montre ne montre pas. Note : que ce qui est marquant est non remarqué, non re-marquable. Sinon passé-passant. Sur-le-champ. *Sur l'heure* — qui passe sans faire un pli. Et pourtant sur le circuit de l'horloge sur-vient du temps hors logé, et le récit a des absences. L'écriture d'Hélène Cixous, trait pour trait, donne le portrait de la survenue. Par quoi l'œuvre c'est : *d'emblée*. L'amble. En chemin toujours déjà : « Un chemin s'est présenté, il m'a prise, il m'a déportée » (*Angst*, p.17) ; et en plein milieu : « ainsi écrivons-nous : commencés, et par le milieu » (*L'ange au secret*, p.11). Et écrire c'est : faire : qu'*il arrive* — surprises, trouvailles au fil des lignes de la langue qui s'écrie, se trouble, se troue :

> [...] les questions sont venues, elles m'ont mordue jusqu'aux moelles.[...] Réponds ! Elles m'ont interrogée *jusqu'au sens*. Frappée. (*Angst*, p.16) (je souligne)

Les récits, les livres, les lectures qui égrènent des morceaux, des différences, du différentiel, du manque-à-lire et à écrire, composent une œuvre-rhapsodie : comme un immense livre d'heurs : *Le Livre d'Heurs* d'Hélène Cixous.
Inscrivant des « bonheurs » d'écriture, comme on dit — le texte d'Hélène Cixous c'est du temps monté en graines, en collier(s), pierres précieuses pour mémoire — , mais aussi, ce que l'on dit moins, l'heur d'écrire — par quoi l'écriture relève de l'augure, de ce vers quoi elle tend : tend l'oreille, capte des sonorités et des rythmes —, ce Livre d'Heurs est symptomatique de la mise en (chemin vers l') œuvre. Il présente un *moment* (au sens physique du terme) des forces tensionnelles constitutives du texte cixousien. Plus encore : il ne donne pas seulement des textes à lire. Il *donne le don* des textes : la pousse de la langue, l'advenue du sens.

> Il arrive, quand je pars à écrire, que des amis me demandent « sur quoi ». Quel est le sujet. Moi je ne sais jamais bien sûr. [...] C'est un mystère : là où ça prend, où ça pousse, où ça s'amasse comme une pluie[1].

C'est le don d'une heuristique, de l'écriture comme heuristique, où les mots disent, et font, merveille.

Ce don des télescopages qui, à tout moment, fait du stylo un télégraphe — éclair, foudre, à-coups de l'écriture — bouleverse, on le sait, dans ces fictions, le dispositif de l'espace-temps. Il en résulte une narration sans raison ; une temporalité sans chronologie : « D'une minute à l'autre, pas de pont » (*Angst*, p.14). Et la question reste celle-ci, emblématique, de *Beethoven à jamais* : « Comment sont-ils passés du café à l'éternité, personne ne le saurait jamais »(p.43).

Autrement dit, le seul temps qui *tienne* (qui existe, et lie ensemble les scènes) c'est celui du récit, de l'écriture et de la lecture mêmes : leur allant, leur passage fait Temps. Marque les Heures. L'œuvre formée d'hiatus, de syncopes, de collisions d'époques, organise donc, non moins, en son parcours, *le Livre d'Heures* d'Hélène Cixous. De fait, s'ils scandent de leur lecture le déroulement du temps, les récits d'Hélène proposent, non moins, par la teneur symbolique des scènes qu'ils suscitent, une préhension poétique-philosophique de notre quotidien, de nos gestes, de tout ce que nous ne savons pas que nous savons. Le Livre d'Heures constitue ainsi le lieu de la quête qui requiert l'écrivain : quête du secret, du mystère du Réel. Si bien que, travaillant au corps les lettres, c'est au cœur des choses que l'écrivain s'efforce de transporter la lecture.

De dans à hors, de l'Angst hors du secret à l'Ange au secret, de la Lettre à l'Etre, du portrait à la portée de l'inconnu(e), ce qui est en jeu c'est *le déplacement* : incalculable, inégal ; petites heures ou temps morfondu. Tantôt par bonds tantôt par arrêt cardiaque, le style fait signe au cadran de l'imaginaire. Et comme au cadran de l'horloge, repasser n'est pas répétition mais toujours passer *autre*ment ; douze c'est double, un deux, jour et nuit bon an mal an. Chaque minute dans le livre c'est Jour(s) de l'an : anniversaire de la naissance où naît sens ; ou l'être s'achemine (« Tous les matins, je suis une petite fille », *Dedans*, p.77)

> C'était le 5 juin 1937. On était appelée. « Alors ? ». La langue grondait. « Ça va être l'heure » dit la mère. Ainsi ce n'était pas un rêve. L'imagination avait commencé. [...] Si on t'appelait, c'est qu'il devait y avoir un peu de sol où se mettre. C'était l'heure ! [...] La mère préparait le premier lange, elle le pliait en pointe, elle m'annonçait. Ainsi j'allais naître ! Moi-même ma mère, mon enfant. Timidités. Première nouvelle. (*Angst*, p.24-25)

2. *Les scènes de l'humain*

C'est la scène du rire et des larmes : bon heur, mal heur mêlés. Hélène Cixous nous entraîne au théâtre du quotidien, à notre théâtre, c'est-à-dire comédie et tragédie ensemble. C'est-à-dire : rêve, songe de la réalité, révélateur de l'existence. Là, inlassablement, à l'enseigne de Shakespeare (mais aussi Verdi, Schönberg, Sophocle, Rossini), de ce théâtre qui sait raconter des histoires « légendairement et cependant droit dans les yeux » (*Le Lieu du Crime, le lieu du Pardon, L'Indiade ou l'Inde de leurs rêves et quelques écrits sur le théâtre*, p.253), elle s'efforce de saisir, peignant par touches et tableaux vifs, nos tensions, nos paradoxes, nos contradictions. S'efforce de donner de l'humain une figure toute de contrastes.

Qu'on ne s'y trompe pas : il ne s'agit point, avec Hélène Cixous, de psychologisme ni de moralisme. Aux antipodes de la catégorisation et du recours simpliste à des modèles, l'écrivain s'attache à dé-celer complexité et singularité, à décrire l'irrépressible conflit dont nous sommes le terrain. Nains-géants, nobles-et-misérables, scène, c'est selon, de Grande Souffrance, de Déluge(s), de l'Apocalypse tout comme de la Joie, nous ne savons jamais très bien « de quel costume nous sommes habillés, ni de quel mouchoir nous nous mouchons. Si c'est un kleenex ou si on va chercher un beau tissu » (*supra*, p.28). Rivés à nos images, infatigables spectateurs de nous-mêmes, jusqu'« au bord de la tombe, nous vivons, nous nous mouchons, un miroir nous regarde » (*id.ibid.*).

Bref, c'est elle-même (l'auteur), c'est nous-mêmes (nous qui « sommes faits d'une étoile sur un bout de bâton », *L'ange au secret*, p.70), c'est le dés-astre de la condition humaine que l'écriture passe au crible du texte — donnant à lire l'analyse d'une dynamique existentiale.

L'humain qu'Hélène Cixous explore n'a rien à voir avec « l'humanisme » ni avec quelque anthropocentrisme. Ce qu'elle met en scène, ce sont les perspectives d'un « mieux humain » (*supra*, p.39-42) par quoi toutes frontières franchies, l'être humain entre en crue et s'accroît de ses autres, végétal, minéral, animal : se sait être de poussière, volubilis (*Dedans*), papillon (*ibid.*), air (*L'ange*), corps-fruit (*Vivre l'orange*) ; reconnaît sa « parenté archi-végétale » (*La*, p.55), sa blessure de « viande terrible » (*Déluge*, p.93), et qu'il faut « Des brosses pour nettoyer les souliers. L'âme aussi » (*Beethoven*, p.112).

Voilà pourquoi, sans doute, le lecteur a le sentiment de sortir fortifié de la traversée de ces textes : nous sortons fortifiés de nos faiblesses, de nos dichotomies, de nos censures. De nos déchirures. Hélène Cixous nous les donne. Ne nous méprenons pas : elle ne nous réconcilie pas. Elle nous fait don de l'inconciliable en nous. Nous donne *unversöhnt*.

3. Le don des langues

Le principe duel, la remise en question des appellations et des catégories de pensée, la dé-nomination à l'œuvre, constituent le fondement de la démarche cixousienne. C'est un systématique ludisme capable de dynamiter (et de dynamiser) les poncifs, les clichés, les expressions convenues d'un prêt-à-penser.

C'est une sorte de machine à explosion par quoi l'écrivain « essaie [l]es noms dans toutes les langues que sa langue fait bouger » (*La*, p.137).

Sa tâche, autrement dit, consiste à rendre à la langue ses dispositions fabuleuses, et toutes ses cordes vocales ; à ménager chambres d'écho, caisse de résonances, voyages métaphoriques ; à creuser l'entre-mots, l'entre-lettres, l'entre-jambages afin de déconstruire nos habitudes de langue morte.

L'envoi de *Vivre l'orange* est à cet égard exemplaire : mise en voix et envol (depuis la « fenêtre », dernier mot du livre), il fait entendre, à partir du nom de Clarice Lispector, l'autre dans la langue, la langue de l'autre, les autres langues qui passent — près, loin, de biais.

> [...] si l'on prend son nom dans les mains délicates et si on le déplie et le dépluche en suivant attentivement les indications des gousses, selon sa nature intime, il y a des dizaines de petits cristaux effervescents, qui se réfléchissent ensemble dans toutes les langues où passent les femmes. Claricelispector. Clar. Ricelis. Celis. Lisp. Clasp. Clarisp. Clarilisp. - Clar -Spec - Tor - Lis - Icelis - Isp - Larice - Ricepector - clarispector - claror - listor - rire - clarire - respect - rispect -clarispect - Ice - Clarici - O Clarice tu es toi-même les voix de la lumière, l'iris, le regard, l'éclair, l'éclaris orange autour de notre fenêtre. (p.113)

Par les métaphores de fructification, toute une poétique s'énonce : où le texte est cristallisation ; dé-pense et pense. Sur les brisées du lexique, toute une poétique se montre à l'œuvre : où, véritablement, elle *fait* sens. Les idiomes se tissent et métissent ; les étrangères décuplent ma langue, y forment veines, ouvrent des filons.

Quant aux enjeux, les priorités s'inversent : c'est la voix mage qui fait image. Le sens, on peut le « faire venir claricement » (*Vivre l'orange*, p.105), ou selon la parole « celante » (Paul Celan) (*Jours de l'an*, p.14) ou suivant Kafka : « Limonade es war alles so grenzenlos » (*Limonade tout était si infini*).

L'infinie invention surgit du souffle des lettres. L'écriture est événement dans la langue.

4. L'écriture floribonde

L'écriture d'Hélène Cixous abonde en fleurs : celles de l'art des tropes — entre tous, de la métaphore. « Une femme immortelle » (*La*) devient sitôt fleur, sitôt bouquet, lequel se compose comme les parties, une à une, d'un texte.

Mais la métaphore ne suffirait pas aux transports de l'art : c'est à dos de phrases qu'il chevauche. Il s'agit alors de *toucher* les choses *du nom* : et toucher juste c'est toucher (dans) la langue. Par suite, point de figure effervescente sans déflagration littérale et syntaxique. C'est-à-dire sans ces phrases à géométrie variable dont Hélène a le secret.

Limonade tout était si infini, p.304-305 :

> - J'aimerais écrire en français *à cause du mot hirondelle*.
> [...]
> J'écrirai une phrase libre. Toutes les questions *iront d'elle* à leurs réponses, sans détours. (je souligne)

Par calembour (heurt des signifiants et des signifiés), l'analogie, faisant sortir la syntaxe de ses gonds, instaure un autre principe de cause(s) à effet(s). Il n'y a ici figure allégorique de la liberté que par fissure : où la dé-liaison fait le lien. Et une hirondelle le printemps (contrairement au dicton). Mais ce n'est pas seulement coup d'écriture (ni coup d'aile). Ou plutôt, le coup cixousien est toujours *conséquent* : par configuration (rhizome textuel), il désigne le processus métatextuel. Les fleurs de ces livres ne sont pas fioritures mais essences. Elles portent fruits : beauté *et intelligence* (du texte).

C'est ce que Joyce appelle : épiphanies.

5. Le spectre de l'œuvre

L'efflorescence, toutefois, ne doit pas cacher le deuil. L'écriture se tisse de la perte ; le livre écrit de celui qui n'a pas été écrit : « [...] sur les bords de chaque chapitre qui naît gisent les pages qui ont expiré » (*Jours de l'an*, p.155).

La mort nourrit l'art comme elle nourrit la vie. Et c'est nécessaire douleur. Car seul l'inachèvement porte à poursuivre. Ecrire, peindre c'est : ne voir jamais la fin ; tentative sur tentative, reprendre, *se* reprendre. Par quoi l'œuvre est infini désir. Le désir d'œuvre(r).

Ecrire, pour Hélène Cixous, revient à dire doublement le deuil : à en repasser, aussi, par les tracés des autres —livres, écrivains, dont la lecture a suscité le cheminement émotionnel et scriptural. Ecrire c'est faire (le chemin) *avec*. En l'honneur de. En mémoire. Clarice Lispector, Rembrandt, Marina Tsvetaeva, Franz Kafka, Paul Celan, Ingeborg Bachmann, Thomas Bernhard. Toutes ces personnes, « en moi elles ont vécu leurs vies. Elles ont écrit. Elles sont mortes. Elles continuent, ne cessant de vivre, ne cessant de mourir, ne cessant d'écrire. » (*Jours de l'an*, p.162)

Le livre s'écrit au confluent de deux lignes perspectives. A l'horizon, l'écriture à-venir esquisse, derrière la feuille (de papier), une forêt. En amont, elle dessine les racines de l'œuvre. Au deuil s'ajoute la dette.

6. La Clef de voûte : Ankh

La clef de voûte dans l'œuvre d'Hélène Cixous, c'est la Clef de Vie : *Ankh*. La croix égyptienne trace croisée : convergence-éclatement, mais aussi anneau : infini recommencement. C'est le signe qu'il y a souffle(s) passant hors des dents. Et souffle(s) entre les lettres, qui se voisent, prennent corps et s'animent de tous les « animots d'une langue » (*La*, p.91). Car si l'on suit Hélène à la lettre, à perdre haleine, on « n'a jamais *raison* de vivre » (*Angst*, p.20 ; je souligne) — « Vis pour rien. [...] Si la raison t'arrive, sauve-toi, sauve ta vie » (*ibid.*, p.20) — : on n'a jamais que *rime*. Et rime, c'est ce qui constitue « Lettre-Là » (*La*, p.21), qui porte au jeu des formes et des métamorphoses. Qui donne la vie pour ce qu'elle est : passage — *forme(s) du mouvement.*

La clef de l'Etre-Là — qui est aussi clef des mensonges, clef des songes, clef de son je — se trouve entre les mains d'Isis, la déesse du même et de l'autre, sœur amante, au nom qui résonne. Elle veille sur les rites du passage des portes, de la Mort à la Vie, du Livre des Mort(e)s au Livre des Mots. Car elle est celle qui ré-unit les morceaux de la séparation d'Osiris, re-forme corps de toutes parts, et de chaque partie tire, façonne, invente tout un corps.

Elle est déesse de la récollection ; de la différence, de la multiplication. C'est le principe du texte osiriaque (elle dit : « osirisque ») : « Son art d'arriver de toutes parts »(*La*, p.92). De toute(s) vie(s). De « Toutelangue » (*ibid.*, p.82)

Rédemption, pour Hélène-Isis, revient à faire lever l'image qui germe, mé/re/connaissable. C'est « parler [manger] les langues [les pissenlits] par les racines » (*ibid.*,p 86).[2]

« Dans une langue, on ne peut pas mourir » (*Jours de l'an*, p.120).

7. Donner le la

Cette germination qui fermente le texte de l'écrivain, il faut se garder de l'oblitérer sous le couvert de « féminisme ».

L'écriture cixousienne ne nomme pas *une elle* sans *un il*, ni sans *une île*, ni sans *un el* (*La*, p.185, *Déluge*, p.196, entre autres). Ce qui la requiert, autrement dit, c'est le différentiel de la *d*ifférence *s*exuelle, et les étranges vérités que content les fictions de cette D.S.

Les livres d'Hélène donnent précisément *le la* : d'autres entrées du sens ; l'entre à l'œuvre qui échappe aux classifications ; l'entre-deux, qui fait trois et plus ; l'entretemps qui déborde le temps. Ils multiplient les différences (par exemple : « un fils qui est une fille », *La*, p.132 ; « l'homme qui est ta mère » *Angst*, p.72), les plus minimes surtout (Jour*s* de l'an ; Promethe*a*), qui inscrivent la bouleversante activité différentielle : le *e* muet notamment, lequel fait aussitôt muer et muter les significations. Il y a enfant*e*, faucon*ne*, ciel*le* ou ciel bleu*e* ; il y a *la* frèr*e*, il y a *en soie* pour *en soi*, et *ce* fourmi toujours qui est *l'événement* langagier par excellence ; qui se passe. Qui passe. Vecteur. Indice d'un accident, fauteur de trouble de la circulation.[3]

Ce trouble est salutaire : il réveille. Les durs d'oreille, il les rend tendres — les rend tendus d'oreille. Et d'œil, et de cœur.

Donner le la, c'est donner la séparation fertile (elle dit : « sacrée »), la « séparation aux grands bras désirables dans laquelle nous faisions nos lits et nos fusions » (*Beethoven à jamais*, p.211).

La. A l'article du féminin, c'est l'autre qui est appelé : ouverture du défini qui s'infinit du blanc à sa suite. Toute désignation possible — *terra incognita*. C'est la désignation du geste de désignation.

Il y a plus. Lorsque *La* s'accentue, il prend l'accent de l'outre (au-delà, par-delà), et co-répondant au *Ça*, porte à dépassement : donne « aux corps l'envie de parcourir les régions débordantes, d'inventer pour se mettre à la portée de l'Inconnue les transports, les allures, l'art d'aller Là... » (*La*, p.83)

8. Portée de l'inconnu(e)

L'art fait une conduite du dedans au dehors, porte à l'étranger. Là, c'est toujours où je n'*en* sais rien. Hélène Cixous écrit « à l'étranger » : il y faut des gestes pour une adresse sans destinataire. Ou plutôt dont le destinataire est : Rien. Personne. Une adresse de l'ordre de la promesse. De l'étoile qu'on suit.

L'art est l'arc lancé au-dessus du vide, porté par son propre élan, son cheminement sur l'abîme. Il y faut courage, confiance. Foi. Et l'humilité. Celle du faire ouvrier : il y faut prendre à deux mains — à demain renvoyé. « Dans la main, invisibles les dés, les demains » (*Beethoven à jamais*, p.46).

L'art fait porte et perte. Fait fenêtre (« Une inconnue à la fenêtre de l'infini », *La*, p.55). Ouverture de toutes parts. Il ménage des passes, un dedans-dehors. Il met à portée ce qui est inconnu *de* moi. Inconnu *en* moi. L'étrangeté constitutive « qui vertige ma vie » (*La*, p.58) : ne pas savoir savoir ; ne pas penser penser.

Il y faut la peur, l'instabilité : planter un pied en pleine terre du texte, pour pouvoir se laisser aller là-bas, à l'aveuglette. Au grand écart. *Le Livre de Promethea* : « J'ai un peu peur pour ce livre [...]. Mieux vaut s'y jeter ».

La portée de l'inconnu(e) est incommensurable. Elle *me* donne. Découverte que nous sommes beaucoup plus que nous. Elle nous allonge. Quelque part, elle (nous) *fait terre* :

> Elle se voit allongée par terre comme si c'était la pose familière [...], en relation avec la terre qui la supporte, qui ne la bouscule pas, qui la reçoit et l'allonge, elle se voit dans toute *sa* longueur (*La*, p.156)

(C'est moi qui souligne le possessif amphibologique où se fondent « elle » et « terre » : *sa* longueur à elle e(s)t *sa* longueur à la terre).

9. Un sujet à risques

Le sujet cixousien se présente en exercice. Au présent : du théâtre de l'écriture. Il est le point d'application des phénomènes existentiels et comme tel la proie d'un morcellement. Etre d'intermittences, ne cesse de disjoncter : vit mille vies, vit mille morts. Ne s'y reconnaît pas. Ne reconnaît pas ses visages défunts : « On porte en soi les morts muets. Mes momies » (*La*, p.20).

> [...] le temps notre peintre est lent. Il lui faut vingt années pour rassembler un portrait qui soit notre résultat. [...] le temps poursuit son œuvre, notant et retenant nos éléments en transformation, jusqu'à ce que vienne à notre connaissance la personne que nous avons fini par être, et tout a changé. Et tout changera encore. (*Jours de l'an*, p.45)

C'est cela que les livres s'efforcent de raconter : un sujet qui *n'a pas* le temps, qui est atomisé. Et comment le temps le met en pièces, le tient en souffrance, sur le point de : « entre déjà et pas encore » (*id.*, p.47) ; « Entre plus-rien et rien-encore » (*Beethoven à jamais*, p.33). Ils risquent (le livre et le sujet) à chaque instant le court-circuit — panne ou embrasement.

C'est un sujet à risques. Lié à l'instant, il ne peut qu'être *instance* (« Jedis ») — d'énonciation, de fabulations : « L'hier est parcouru. Entre jedus et jedis... », (*La*, p.20) — et non pas propriétaire de nom propre. Ni d'identité. Ni d'une entité. Il vit à crédit (narratif) et porte des peaux d'emprunt.

Il faut risquer le sujet. Il est même cela, le sujet : par définition : risque. « Au risque de se perdre. Il faut le risque » (*Jours de l'an*, p.53). C'est pourquoi le sujet cixousien ne cesse de courir : il fait la course avec lui-même et avec ses récits. Sa vérité est dans cette course : car la seule sauvegarde pour ce sujet tellement *sujet à*, tellement de parti *pris*, c'est de multiplier les points de vue, les points. Les taches aveugles.

C'est donc un sujet singulièrement subjectif qui est à l'œuvre : interpellé, assigné, affecté. Affecté de délitement commun. Comme-un : David/un david, Clarice/une clarice, Ascension/une ascension, pierre/Pierre, Thomas Bernhard/ mention T.B., l'amande (*Mandel*) dans Mandela et Mandelstam, et tant d'autres dé-nominations, d'autres sujets courants (comme un titre courant) et banalisés, essaiment dans le texte, constituant des champs de forces sémantiques, des secteurs d'aimantation, Où *le sens est aimant*.

Car le sujet-subjectif a tendance à perdre la tête : il devient alors « Ujet » (*Neutre*), pense avec le cœur, lit « avec la tête coupée » (*L'ange au secret*, p.91), devient capable d'appréhender la vérité cardiaque des phrases. Du sujet, il est surtout jet : pro-jet, tra-jet, trajectoire, variable d'une géométrie qui forme économie narrative. Dans l'inlassable combat que le sujet livre avec l'ange, le cœur tient tête à la tête et l'âme prend du corps.

Le sujet à risques est par excellence *sujet de l'écriture*, au double sens du génitif, passif-actif : matière à écriture ; producteur du texte. Là, il se fait des scènes, des scènes lui sont faites. Ainsi dans ces lignes :

> On devine qu'on est deviné, on ruse, *on est rusé*, on dérape (*La*, p.21, je souligne),

où, par le dispositif de la double voie dans la première proposition, la troisième — « on est rusé » — passe les bornes de la grammaticalité et s'accroît d'un (contre) sens passif : être rusé = tromper ; être rusé =

être trompé. Cependant que le dérapage nomme aussitôt ce que le texte vient de faire.

Sur la scène de l'écriture, le sujet s'exhibe ainsi palimpseste, mémoire, parchemin, reçoit impressions encrées, peut perdre « trop de sens » (« J'avais perdu trop de sens. Je voyais trouble », *Angst*, p.35), signer et saigner les lettres, être fautif, s'adonner à la folie. Et au dédoublement de l'instance narrative, qui n'est jamais une sans l'autre : L'Auteur-elle et Je-Moi (« L'Auteur que je suis peut dire : je ne suis pas moi », *L'ange au secret*, p.29) — instance qui ne fait, le plus souvent, ni une ni deux et prolifère, affinant les proximités. C'est ainsi que paraît, entre « les faiseuses » H et Promethea, un « Je d'auteur » : « C'est un mince personnage » dont le but est de se « glisser au plus près de l'être des deux vraies faiseuses, jusqu'à pouvoir épouser le contour de leurs âmes avec la mienne, sans cependant causer de confusion » (*Le Livre de Promethea*, p.12)

Le sujet ? Ce sont les voix-les voies du texte. C'est le livre. Le livre d'heures (est le) livre des instants.

10. Le récit oxymorique

« A quoi tiennent nos vies. Nos vies tiennent à leur récit » (*Beethoven à jamais*, p.19). Et pour que ce récit *tienne* à son tour, il faut qu'il soit comme « tout ce qui vit /qui/ est oxymorique » (*id.*, p.172). Tel est le principe de dérive équationnelle qui organise les textes : il montre qu'il n'y a pas tautologie et que *rien n'est égal*. Compte chaque inscription.

L'oxymore permet de rapprocher les antipodes, de rendre l'écart infiniment sensible. C'est le principe de l'abîme infime, qui lézarde les significations et hasarde des passerelles inouïes — principe d'autant plus efficace qu'il se joue au point, à la virgule près. Un souffle.

> Le Secret — nous ne l'avons pas. Il nous est. Une foi. (*id.*, p.18)

Le branle-bas sémantique naît ici de la ponctuation. L'attendu « Il nous est une foi », rendrait le texte lisse. La césure, inattendue, fait refluer la lecture en amont, laquelle reporte toute l'attention (la tension) sur le verbe avoir. Ainsi confrontés, avoir et être instaurent une non-symétrique symétrie : « nous ne l'avons pas » appelle « il nous *a* », mais porte à « il nous *est* ». La lecture bloque, arrêtée à une difficulté de penser (aporie ? impensé ?) puis, par rebond en aval, répercute le déchiffrement parallèle être/avoir sur « foi » (posséder, être possédé par la foi).

La ligne brisée de ce trajet présente un processus exemplaire de l'écriture cixousienne : où il s'agit de privilégier la rime *a - non a* (au lieu de la rime *a - a*). Cette figure de pensée in-forme tous les ouvrages et confère au récit fonction de parabole. Mêlant les genres littéraires et les genres du discours, le dispositif oxymorique permet de dire « le mal que nous avons à être humains. Le Mal » (*L'Indiade ou L'Inde de leurs rêves*, p.253). La difficulté à entendre : la Souffrance *de* Joie, la Vérité *de* l'Erreur, le rapport Raison/non raison/Folie (« Folie ! J'ai perdu la non-raison » *Angst*, p.21) qui sont quelques-unes des articulations majeures du récit.

Ainsi s'élabore une écriture insolite : récit à deux *sangs*, à *sens* contraires, et doublement *sans* : Histoire sans intrigue ; événement sans personnage — c'est-à-dire *avec* Personne. L'hétérogène qui travaille cette narration débridée, toute disloquée en apparence, se révèle rien moins que n'importe quoi : une dynamique de compensation organise, de fait, les équilibres de la dé-construction à l'œuvre. C'est ce que dit, de façon si belle, le chant, au centre du volume *Beethoven à jamais* :

> — Que ne sommes-nous du même sang
> [...]
> — Mais alors nous perdrions [...] ces élans par lesquels nous luttons pour empêcher la fente de s'élargir.
> [...]
> C'est parce que nous ne sommes pas du même sang
> Que j'ai l'amour si haletant
> Entre nous pas de lien, pas de nœud
> Seulement la musicalité -
> Que ne sommes-nous du même sang...
> (chaque fois *un ton plus haut*) (p.112-113)

11. Du café à l'éternité : le philtre du texte

La force ne vient pas de la conservation (du même) mais de l'irruption de l'altérité. Ma vie me vient de l'autre, l'amour est moteur d'écriture : tel est l'axiome au cœur des fonctionnements du récit d'Hélène Cixous, le secret de la vitalité de son art. Un sens aimant — attraction et différence — organise ce que l'écrivain nomme la « séparéunion » et qui est : l'œuvre de la passion.

Il n'y a dès lors de littérature qui vaille que celle qui s'efforce à l'écriture de la passion : au régime de l'éclair, du feu, de l'incendie, de l'oxymore (« Une fois dans le feu, on est inondé de douceur », *Le*

Livre de Promethea), du datif (Te : « Entre venir et s'en aller seulement le temps de Te », *Beethoven à jamais*, p.56). Du Tout-Rien, café-éternité.

C'est, en fait, la parabole de la création que content les récits d'Hélène ; de la force magique qui trans-figure mais dont le passage advient mot à mot, goutte à goutte, par le filtre du texte — qui épure, apure. Avec la « peur d'écrire à feu trop doux » (*id.*, p.42), que la langue ne voie ni n'entende assez loin (*La*), que le café-filtre ne soit pas assez serré, l'interstice pas assez minime. Nietzsche, exemplaire, donne leçon d'amour fou par homophonie : où nommer est brûlure.

> *Die Liebe ist's die mich mitgehen heißt*
> *Die heiß ersehnte* !
> Heiß et heißt, mêmes lettres même feu, l'appel me brûle, le feu m'appelle. Tous les noms de l'amour me traversent.
> (*La*, p.67)

Il faut que le texte soit « fort de café » comme on dit —incroyable inouï — pour qu'il devienne philtre magique. Que les trous de significations fassent trouée, le feu cendres d'où renaît le sens, que le brûlis du texte mette pousses narratives. Comme, à la fin, *le Livre de Promethea*, qui s'arrête sur ces mots :

> -Ah j'ai oublié ! Promethea tombe amoureuse.
> -Tombe ?
> -Est. (p.248)

La chute — ou la pointe — de la phrase, du livre, fait terre ; le texte rebondit au point où il finit, grâce à la force oxymorique de cet ultime dispositif : lequel, par déflagration du cliché, réinscrit la banalité quotidienne au centre de l'enjeu vital : Mort, Vie, Résurrection. Car « Tombe » nomme aussi « la tombe », appelle l'opposition sous/sur terre, fait de cette chute de la voleuse de feu une remontée. Promethea passible de chute et d'envol c'est, comme l'écrivain, Phénix — oiseau de feu.

12. Ou l'existence de Dieu[1]

De livre en livre, Hélène Cixous s'est construit tout un ensemble de registres et de clefs. Toute une gamme : à jouer, à monter et descendre. Gamme de possibles, gamme musicale. Do ré mi fa sol la si. C'est une échelle de Jacob, échelle de cordes vocales, toujours plus haut reprise, qui porte à l'ascension du ciel. Degré par degré :

do - la folie, l'abîme ; c'est la note *do* dans l'oreille de Schumann (*On ne part pas, on ne revient pas*).

ré - la récollection depuis la perte, le réveil.

mi - par le milieu, toujours déjà commencé.

fa - voix des nymphes, l'an neuf, la sève nouvelle : « les nymphes parlent en fa, les morts sont pardonnés et nous pardonnent, l'écriture monte » (*Beethoven à jamais*, p.234)

sol - là où l'âme fait terre dans la langue ; « le sol/De l'âme qui est la langue » (*Beethoven à jamais*, p.160).

la - le don, la différence.

si - l'infini ; « chaque gorgée était *si*, et ce qu'elle était en train de comprendre alors, c'était l'infini » (*Limonade tout était si infini*, p.300).

Ainsi la rigoureuse économie du texte a-t-elle organisé les lois des forces ascensionnelles et gravitationnelles ; et réussi à faire œuvre : c'est-à-dire à créer un univers en expansion. Tendu vers. Entre Folie et Infini. Folie et Foi (« Je le vois le mot Foi dans le mot Folie », *Beethoven à jamais*, p.48). A l'instant l'éternité.

Voilà pourquoi, sans doute, chez Hélène Cixous le plus grand risque ne va pas sans la plus grande sérénité. A la fin, au bord de l'abîme, du vide de la page blanche et de la terre, *Limonade* inscrit, exemplaire acceptation où « vivre l'instant » c'est trouver ressort dans la précarité (« pour l'instant »), ce présage d'écriture à l'infini recommencée :

> -Quand j'aurai payé. Après.
> -Mais *pour l'instant, il y a assez de fleurs*. (p.306, je souligne)

Assez de fleurs à respirer, à écrire.

NOTES

1. Hélène Cixous, *En octobre 1991...*, in *Du féminin*, ouvrage collectif réuni par Mireille Calle, Grenoble-Québec, Presses Universitaires de Grenoble, le Griffon d'argile, 1992., p.135.

2. Je rétablis entre crochets les termes du dicton afin de mesurer le déplacement opéré par le texte cixousien.

3. Cf. le texte de Derrida, Annexe 1 de *Entre tiens*, p. 121 sq.

4. C'est le sous-titre de *Beethoven à jamais*, dernier en date des livres d'Hélène Cixous.

ALBUMS ET LÉGENDES

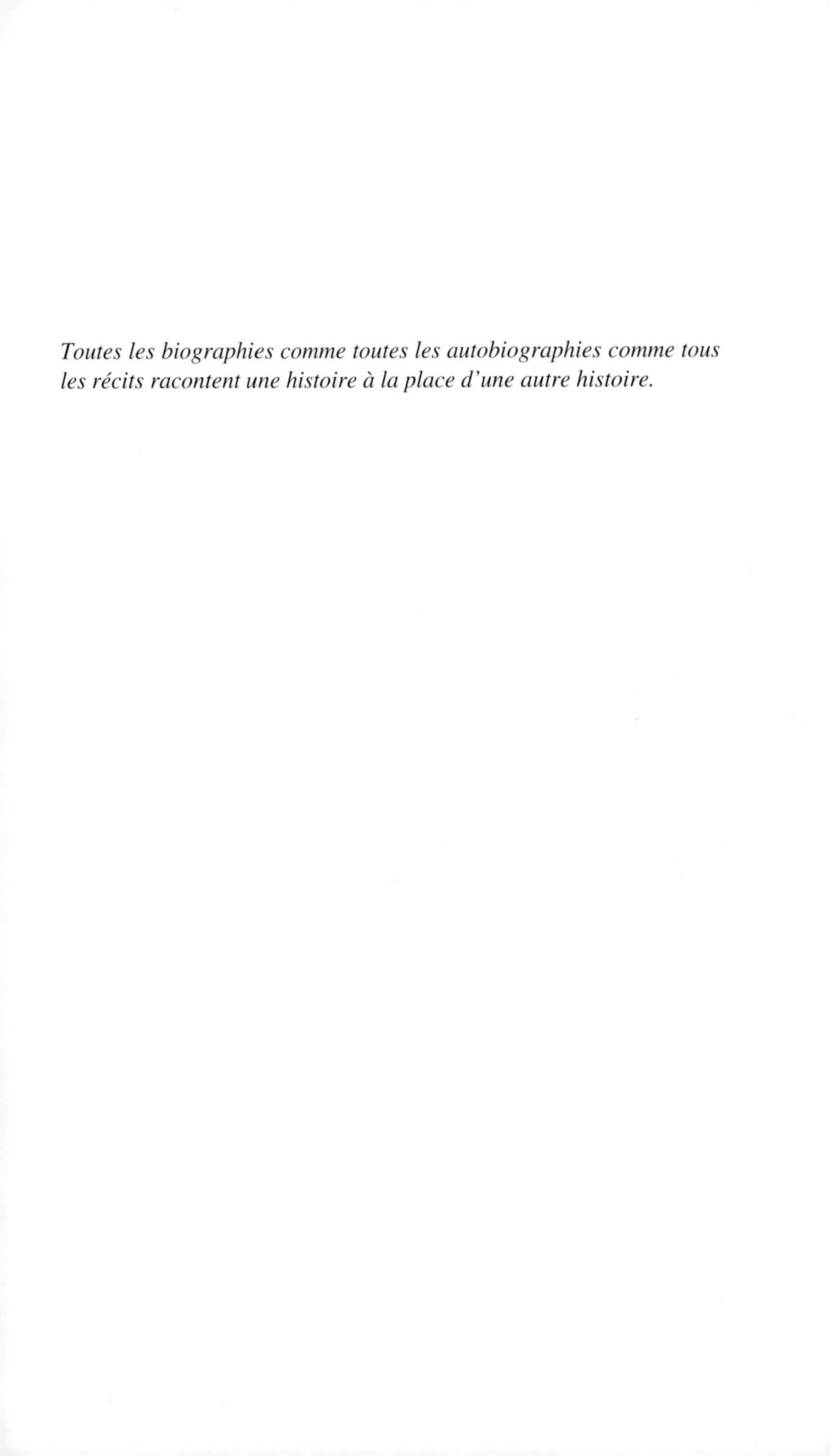

Toutes les biographies comme toutes les autobiographies comme tous les récits racontent une histoire à la place d'une autre histoire.

Hélène Cixous :

Elles ont toujours été là.
Je ne les regarde pas. Ne les ai jamais regardées. Je les « sais » là. Leur présence. Racines. Miennes ? Mes si étrangères racines.

Vieil album dépenaillé. Respecter le dépenaillement. Le dépenaillement est le secret : portrait de la mémoire de famille. Album, mémoire, cimetière, abandonnés. On avance, en semant derrière soi les pierres de deuil. Album d'abandon. Fidèle à l'abandon. Respecter l'abandon. A la question : comment ces objets si frêles ont survécu, ont-ils résisté, résisteront-ils aux dents du temps ? ne pas répondre.
Et chaque fois en trente, quarante, cinquante ans, où l'on vient à l'album de poussière, chaque rare fois d'attention, tremble légèrement l'étincelle de peur que la photo qui ne tient plus que par un coin doré usé déchiré, par une pointe de colle vieille vieille, tombe. Certaines sont tombées, dedans. Photos de personnes tombées les unes sur les autres, écroulement d'années, le temps a freiné si brutalement, une ville tombe dans l'autre, une grand-mère de mère connaît un cousin inconnu par un coup de mémoire sans loi.

Album en ruines à respecter. C'est la mémoire même. Lieu sur lequel je ne reviens pas. Si on feuillette, c'est distraitement en passant par les photos ouvertes, qui s'effacent pour me laisser passer. Je suis née tellement loin de mes commencements. Je suis le lit du sang. Mon sang lointain, mon étranger, quel chemin nous avons fait...

Feet
10 000
5000
2000
1000
500
Sea Level
0
500
5000
10 000
Below
Sea Level
ICELAND
ARCTIC
Arctic Circle
LOFOTEN IS.
ATLANTIC OCEAN
NORWAY
SWEDEN
FINLAND
LAPLAND
Oulu
Umeå
Vaasa
Sundsvall
Trondheim
Bergen
Stavanger
Kristiansand
Oslo
Gävle
Uppsala
Turku
Helsinki
STOCKHOLM
Norrköping
Göteborg
Ålborg
DENMARK
COPENHAGEN
(København)
Malmö
Visby
Liepāja
Riga
LATVIAN S.S.R.
Daugavpils
Klaipėda
LITHUANIAN S.S.R.
Kaunas
Vilnius
Kaliningrad
Gdańsk
Grodno
Minsk
Tartu
ESTONIAN S.S.R.
Kronshtadt
Aberdeen
Dundee
Edinburgh
GLASGOW
BRITISH
ISLES
UNITED
KINGDOM
IRELAND
Belfast
Baile Átha Cliath
(Dublin)
Cork
LIVERPOOL
Carlisle
NEWCASTLE
LEEDS
Hull
MANCHESTER
Leicester
BIRMINGHAM
Southampton
Portsmouth
LONDON
Dover
NORTH SEA
NETHERLANDS
AMSTERDAM
The Hague
('s Gravenhage)
Rotterdam
Antwerp
BELGIUM
BRUSSELS
Lille
Calais
ESSEN
COLOGNE
Bonn
HAMBURG
Kiel
Lübeck
Bremen
Hannover
GERMANY
BERLIN
Magdeburg
Leipzig
Dresden
FRANKFURT
Mainz
Nürnberg
STUTTGART
MUNICH
Szczecin
POLAND
Poznań
Toruń
Białystok
WARSAW
Łódź
Wrocław
Lublin
Brest
Kraków
PRAGUE
Plzeň
Brno
CZECHOSLOVAKIA
Bratislava
VIENNA
(Wien)
AUSTRIA
Graz
BUDAPEST
HUNGARY
Debrecen
Miskolc
Szeged
Oradea
Cluj
ROMANIA
BUCHAREST
English Channel
Cherbourg
Brest
Le Havre
Rouen
Rennes
PARIS
Reims
Orléans
Tours
Nantes
La Rochelle
Dijon
Strasbourg
FRANCE
Clermont-Ferrand
Lyon
Bordeaux
Toulouse
Nîmes
Marseille
Toulon
Nice
Geneva
Lausanne
Zürich
Bern
SWITZERLAND
MILAN
TURIN
Genoa
Venice
Trieste
Ljubljana
Zagreb
Subotica
Novi Sad
Belgrade
YUGOSLAVIA
Sarajevo
Split
Bologna
La Spezia
Livorno
Firenze
Ancona
ITALY
ROME
(Roma)
NAPLES
(Napoli)
Bari
Brindisi
CORSICA
Ajaccio
SARDINIA
Cagliari
TYRRHENIAN SEA
Palermo
Messina
SICILY
Catania
MALTA
IONIAN SEA
ALBANIA
Tiranë
Durrës
Shkodër
Skopje
Niš
Sofiya
BULGARIA
Plovdiv
Thessaloníki
GREECE
ATHENS
(Athínai)
El Ferrol
La Coruña
Gijón
Oviedo
Santander
S. Sebastián
Bilbao
Vigo
Pôrto
(Oporto)
Coimbra
PORTUGAL
Salamanca
Valladolid
Zaragoza
ANDORRA
SPAIN
MADRID
Valencia
BARCELONA
Tarragona
ISLAS BALEARES
Palma de Mallorca
Sevilla
Córdoba
Murcia
Cádiz
Málaga
Almería
Cartagena
Gibraltar
Ceuta
Tanger
Tetuán
SIERRA NEVADA
SIERRA MORENA
Algiers
(Alger)
Oran
Constantine
ALGERIA
MOROCCO
Tunis
Bizerte
TUNISIA
MEDITERRANEAN

Ce qui constitue le sol originaire, le pays natal de mon écriture est une vaste étendue de temps et terres où se déroule ma longue, ma double enfance. J'ai une enfance à deux mémoires. Ma propre enfance a été accompagnée et illustrée par l'enfance de ma mère. L'enfance allemande de ma mère venait se conter et ressusciter dans mon enfance comme un immense Nord dedans mon Sud. Avec Omi ma grand-mère le Nord montait encore plus loin. Aussi, bien que je sois profondément méditerranéenne de corps, d'apparence, de jouissances, toutes mes affinités imaginaires sont nordiques.

Géographie de ma mémoire généalogique : je me tiens au bord de l'Afrique du Nord. A sa plage. A ma gauche c'est-à-dire à l'Ouest, ma famille paternelle — qui a suivi le trajet classique des Juifs chassés d'Espagne jusqu'au Maroc. Les grands-parents de mon père sont de Tetouan ou de Tanger. Ils voyageaient à dos d'âne. Sans doute suivant l'armée française — comme colporteurs et truchements — ils arrivent à l'orée occidentale de l'Algérie : Oran. Ma ville natale. Une ville très espagnole. Dans la famille de mon père, on parle le français et l'espagnol. Le père, Samuel, parle l'arabe également. Le père devient « homme d'affaires » à 11 ans. C'est un homme « hors du commun ». Il joue du violon. C'est un bel homme majestueux. Capable. Il ouvre boutiques. Une boutique de chapelier et de tabacs sur la place d'Armes à Oran à l'enseigne « Les Deux Mondes ». Quand j'étais petite, j'habitais dans une ville pleine de quartiers, de peuples, et de langues.

"Les Deux Mondes" - Oran

Il y avait les Espagnols, catholiques ; les Arabes ; les Juifs. Et les Français. Il y avait les Français français de France. Et dans les Français il y avait aussi les Juifs et les Espagnols. C'était mon Ouest.

Reine et Samuel Cixous
mes grands-parents oranais

Hélène Meyer

Mes arrière-grands-parents allemands

et son mari Abraham Jonas

Mon Est, ma droite, mon Nord : c'était le paysage de ma mère. C'est un arbre très haut avec de nombreuses branches. D'une part la branche allemande, celle d'Omi ma grand-mère (née Rosalie Jonas en 1882 à Osnabrück, Hanovre, Allemagne du Nord. Hochdeutsch, ancienne famille allemande très allemande). Omi a traversé toute ma vie. Elle est un peu m,o,i. Omi est la huitième enfant, la petite de sa mère Hélène Meyer (voilà mon nom). D'autre part, il y a la branche du père de ma mère, Michael Klein, qui appartenait à une famille originaire d'un petit village frontalier de l'Empire austro-hongrois, non loin de Trnava qui n'est pas loin de Vienne. La frontière se déplace. J'ai cru mon grand-père d'origine hongroise, puis tchèque, jusqu'à ce que je découvre que ce village était slovaque.
(N.B. mais aujourd'hui je découvre qu'il est *né* dans un petit village hongrois.)

Mes grands-parents allemands

Rosi et Michael Klein

Eve ma mère et sa sœur Erika

Mon enfance s'est beaucoup passée dans le paysage d'une Europe racontée. C'était la légende de l'Europe contée par ceux qui la sillonnaient. Je sens que les Français sont des enracinés. Les Juifs étaient les sillonneurs de l'Europe. Non pas parce qu'ils étaient expulsés, mais parce qu'ils cherchaient : ils allaient d'une communauté à l'autre, à travers pays et royaumes, chercher soit le rabbin, le savoir, soit l'épouse appartenant à une famille qui convienne.

De fait, ces Juifs étaient destinalement Européens. Et tous ces Juifs si différents, qui étaient Hongrois, Autrichiens, Tchécoslovaques, Roumains, Polonais, etc... tous — comme Kafka — avaient une langue véhiculaire générale qui était l'allemand, à laquelle ils ajoutaient la langue du pays où ils demeuraient. Mon grand-père parlait hongrois tout en étant germanophone. Les Klein eurent 20 enfants. La famille avait une propriété agricole. La mère gérait la terre qu'elle parcourait à cheval. A cheval. Et sur la tête la perruque de la femme orthodoxe. Le père passait les nuits à étudier le Talmud.

Le paysage qui se déroulait pour moi sur tous ces pays de l'Est a fait en 1915 une sorte de bond mortel vers le plus nord du Nord, le Nord russe incertain. Et c'est à partir de ce point le plus au Nord que tout mon récit personnel s'est cristallisé : à partir de l'histoire de Michael Klein.

Mes grands-pères en 1915

Samuel Cixous

Michaël Klein

Michael Klein, qui était alors de nationalité hongroise, a pris la nationalité allemande en 1909 pour épouser ma grand-mère Rosalie Jonas. Ce qui lui a valu d'être enrôlé dans l'armée allemande pendant la première guerre. Omi datait encore ses récits de jeunesse du Kaiser. Pour elle, le Kaiser existait.

Mon grand-père est mort sur le front russe en tant que soldat allemand. Il y a un récit : il a reçu un éclat d'obus dans les jambes et il est mort d'hémorragie. Il y a une étoile. Quand j'étais petite, ce que je voyais comme étoile, au Nord de mon histoire, c'était la tombe de mon grand-père dans une forêt russe inconnue.

Mon grand-père soldat allemand juif a été enterré en 1916 en Russie et on a dressé sur sa tombe un vrai petit monument portant une inscription en allemand et en hébreu et une étoile de David. La tombe est parmi d'autres tombes allemandes ornées de croix. Voilà l'Europe au début de ce siècle... Etoile et croix ensemble.

Blatt № 004

frau michael klein straszburg

barrerstr 12=

Telegramm Nr.

Aufgenommen den 2 / 8 191

um 3 Uhr 19 Min.

von

durch

Telegraphie des Deutschen Reichs.

Amt Straßburg (Els.)

Leitung Nr.

Telegr. ss: adfelde 11,50=

W. den / um Uhr Min.

der ldstrm michael kleio ist am 27 7 im ortslaz baranowitschi infolge seiner verwundung verstorben . schriftliche mitteilung ist bereits abgegangen .= billenstein feldwebel 11 kp l i r 6.+

Télégraphe de l'Empire allemand:
Le soldat Michael Klein est décédé le 27 /7 à l'hôpital militaire de Baranovici des suites de ses blessures. Message écrit déjà envoyé. Lieutenant Billenstein, 11ème Compagnie du Régiment d'Infanterie légère

Photos : portes, portiques. J'entre dans la forêt. J'ai déjà vu des arbres. Mais cette tombe, ni moi ni personne jamais ne l'a vue. Elle est morte. Lettre de bois, personne n'est venue t'entendre respirer. Je recopie l'adresse sur l'enveloppe debout : Hier ruht in Gott — Landsm. Michael Klein — II Komp L.I.R.G. —Gest. 27.7.16.

Je recopie et je pleure.

Pourquoi ce pleur ? Parce que je suis mort. Je suis si mort. Parce que je suis devenu cette pierre de bois levée qui répète mon nom et ma date de mort à l'air où je ne vécus jamais. La page de bois prévient le vide bois que c'est ici que désormais je demeure, devenu terre et bois étranger. Oh ! j'ai besoin de Dieu pour ne pas m'oublier.

Je m'appelle Michael Klein. Je me repose. J'ai perdu ma naissance. Comment peut-on être si mort ? De moi le passant m'apprendrait plus que ma mort. C'est ici que je commence. Le dernier jour. Mais il n'y a pas de passant. La forêt tout entière est sans adresse. Tout est interrompu.

Les herbes en désordre sur mon pied. A ma gauche un Fritz, derrière moi un Paul derrière Paul un... illisible derrière Fritz un... illisible.

Cela s'est passé ainsi :

Arrêté net, coupé, d'abord la jambe ensuite la racine. Je suis planté dans la forêt où personne de connaissance n'est jamais venue me voir. Tout d'un coup, en juillet, je suis devenu russe et mort. Les hampes des pins montent très droit parmi nos croix et nos simples histoires de bois. Dieu est une forêt de pins inconnue.

Le soldat au lilas et sa tombe à Baranovici (Bielorussie)

A droite, le soldat debout. A sa gauche, le précédant dans notre lecture qui va de gauche à droite, sa tombe. Mais lue de droite à gauche selon le mode hébreu, d'abord lui ensuite sa tombe.

Le regard du soldat s'éloigne vers sa gauche à l'infini. A l'infini, que voit un soldat dont le regard s'en va, s'en va ?

Et juste à côté, tout contre, sa tombe.

Tombe grandeur nature. Je veux dire de la même nature : tous deux, le soldat et elle, de la même taille. Il s'agit donc de deux portraits de la même personne, avant et après. Une ressemblance les unit.

A gauche, portrait abstrait. Front ceinturé, lisse, sur lequel courent les veines de bois. Au milieu de la poitrine, le visage : une étoile à six pointes.

A droite, le soldat infini. Un vrai soldat. Veuf. Veuf de lui-même. Dessus : le casque à une pointe. Ce qui reste du visage se souvient, semble-t-il, qu'il fut la veille un homme avec famille, un vivant, un amant. Semble-t-il. Sinon pourquoi devant les lilas ce visage qui se souvient à l'infini ? Un vrai soldat est toujours déjà un souvenir.

Voilà le cœur étrange de l'album de famille. L'invraisemblable origine à une pointe. Elle me perce la poitrine.

Suis-je issue de cet homme qui s'en va ? Moi-même je n'y crois pas. Ou plutôt : j'y incrois.

Place Nicolaï à Osnabrück en 1915 : l'immeuble de famille

Mon grand-père a eu droit aussi à une croix. Nous avons toujours la croix de guerre allemande.

Chose belle : comment ma grand-mère, veuve de guerre allemande est devenue veuve de guerre française. Juste avant la guerre, mon grand-père s'était installé à Strasbourg en Alsace allemande où il avait ouvert une petite fabrique de jute. Veuve, Omi est rentrée en Allemagne proprement dite, avec ses filles, à Osnabrück, où ma mère a fait ses études. L'Alsace est devenue française : Omi, du fait de cette adresse alsacienne a eu droit alors à un passeport à double nationalité. Lorsqu'elle est sortie, en novembre 1938, de l'Allemagne nazie grâce à ce passeport, elle est partie en gardant son statut de veuve de guerre. C'est ainsi qu'elle est devenue veuve de guerre en France où elle a touché la petite pension jusqu'à la fin. Ces riens, ces liens, sont des tissages très puissants. J'ai en moi les vestiges d'une Histoire qui avait encore un masque pré-inhumain.

La synagogue dévastée par les allemands

Mes parents

Un an

Moi je suis née dans une époque inverse : époque de nationalismes, de re-nationalismes.

Ma vie commence par des tombes. Elles dépassent l'individu, la singularité.

Je vois comme une généalogie de tombes. Lorsque j'étais petite, il m'a semblé que la tombe de mon père sortait de cette tombe du Nord. La tombe de mon père est aussi une tombe perdue. Elle est en Algérie. Plus personne n'y va ou n'ira jamais.

Mon arrière grand-père slovaque Abraham Klein
étudie le Talmud

Quand je parle aujourd'hui en termes de généalogie, ce n'est plus seulement l'Europe que j'aperçois mais, de façon astrale, la totalité de l'univers. Les familles de ma mère, très nombreuses comme souvent les familles juives, ont eu deux sorts : les camps de concentration d'une part ; d'autre part l'essaimage sur toute la terre. Ceci me donne une sorte de résonance mondiale. Je l'ai toujours sentie car les échos sont toujours revenus de toute la terre. De tous les survivants.

»Der Transportzug mit Jude
aus den Regierungsbezirken
Münster und Osnabrück ist
eingelaufen. Die in Bielefeld
gesammelten Juden gehen zu
ihren vorgehängten leeren
Wagen. 13. 12. 41«

1941 : Le train de déportation part d'Osnabrück

FAMILY TREE KLEIN FROM TYRNAU (SLOVAKIA)

Abraham Meir KLEIN
1844 Smolenitz (Slovakia)- 1924 Tyrnau
Rosa (Rivka) EHRENSTEIN
1846 (about) Skalitze-1925 Tyrnau

1. Charlotte	8. Selma
2. Riesa	9. Sara
3. Sidi	10. Marcus
4. Moritz	11. Shamshi
5. Michael	12. Leah
6. Salmi	13. Elsa
7. Sigmund	14. Norbert

1. CHARLOTTE 1871-1923 Tyrnau
JACOB EHRLICH 1869-1901 Pressburg-Tyrnau

— Hilda Ehrlich and —- Freund : 5 children : 4 died in concentration camp. Eliezer Freund (Jerusalem) : 3 children : Nathan, married, 1 boy ; Ilana, married, 1 boy ; Ronit, single.
— Yolan Ehrlich and —- Friedlander both died in c.c., had a few children.
— Shandor Ehrlich (died in Israel) and Bella Ungar, lived in Tyrnau : 3 children : Judith, married to Walter Orli (famous officer in the Israeli Army Ramat Gan), 4 children : 3 daughters, 1 boy.
Edith and —- Mattalon, Tel Aviv, 2 daughters : 1 daughter, married with 1 child ; Benno and Penina Ehrlich : 3 sons.
— Jacob Ehrlich and Frieda Fleischman lived in Tyrnau, Jerusalem : no children.

2.RIESA 1894-1975 Tyrnau, Watz, Strasbourg
Samuel 1877-1936 Watz, Hungary
Buchinger 7 children : all born in Watz

— Nandor Buchinger and Marie Weinberg : Colmar, France, 3 children : Paul, André, Claude
— Shandor (Strasbourg, died in c.c.) and Anna
Buchinger (Strasbourg, no children)
— Boeschke (born 1901) and Frederic Buchinger (died 1968) : 4 children : Chaya (10 children), Nandi : (— children), Robert : (— children) : 1 daughter lives in Hungary.
— Yennoe Buchinger and his wife died in c.c. with their seven children.
— Margit (born 1904 Tel Aviv) and Samuel Rosenberg (born 1903) : 3 children : 2 daughters, 1 son, all married, all live in Tel Aviv.
— Fritz Buchinger and Liesel Klein : a few children, all living in Strasbourg and Israel.
— Imre Buchinger and Magda Schnitzer live in New York.

3.SIDONIE (Sidi) died 1950 Nesher, Israel
Adolf died 1948 Nesher, Israel
Reichenthal 2 children
before the war, they lived in Pystain, where he was a teacher.

— Shandor Reichenthal (Nesher, Israel) and —-Roth, 2 sons, both married in Israel.
— Yennor Reichenthal (died 1945) and —- Honig, no children.

4.MORITZ (Maurice) 4.08.1875, in Tyrnau
Elul 1, 1958
Selma Lewy 25.04.1882, in Berlin
Adar 21, 1935 Strasbourg, France : 6 children

— Albert Klein (16.07.1909, Strasbourg d.Iyar 25,1)) and Roberte Kahn (1924, Strasbourg), 2 daughters ; Eliane married George Weill, 5 children ; Joelle married Beranad Amsalem, they have 3 daughters.
— Rachel (Hella) Klein (26.02.1912, Strasbourg, Israel) and Hugo Stransky (Rabbi) (1905-1983, Prague, C.S.R), 2 children : Michael and Selma Muntcheck, live in Australia with 2 children : Nicole, Raoul. Otta and Judith Schnepp : no children.
— Berthe Klein (27.04.13 Strasbourg) and Pierre Bernheim (Colmar, died in the sixties), 2 children : Marc and Rivka Sibony live in Grenoble with 3 daughters. Gilles and Joelle Bollack, Paris.
— Ruth Klein (19.01.1915, Strasbourg, U.S.A., Israel) and Fritz Blank

(29.09.1914, Horn, Germany, Iyar 4, 1), 3 children : David and Gladys Barg, Toronto, Canada (3 children : Robin, Mark and Jeffrey) ; Eve (Chava Eshel), New Mexico, U.S.A. ; Jacob (Beer Shevah, Israel) and Dinah Hazzan (Hezi Zurishaddai).
— Jeanne Klein (19.01.1915 Strasbourg) and Emmanuel Rais (1909-1981) Paris, no children.

5.MICHAEL born Tyrnau, died W.W.I 1916
Rosy Jonas born Osnabrueck, died in the seventies : 2 daughters

— Eve Klein (Paris) and Georges Cixous (passed away) : 1 son, 1 daughter.
— Erica Klein (Manchester) and Bertold Barme (passed away), 2 children.

6.SALMI Tyrnau, died in c.c.
Louisa Wahrkany Gyoer died in c.c. 4 children

— Walter Klein (died in c.c.)
— Michael Klein, 2 children : 1 daughter, 1 son, married with children.
— Edith Klein (1920 Tel Aviv) and Yennoe Deutsch (1916), 2 sons, married with children.
— Alice Klein (1910) and Leopold Buchinger (1910), Hungary, Los Angeles. 2 children : Tami, married with 2 daughters, another daughter.

7.SIGMUND wounded a few times W.W.I., single, died in c.c.

8.SELMA Liska, Rumania, 1 son, David
—- Cohen all died in c.c.

9.SARA Liska, Rumania, died in c.c.
—- Cohen 1 son

— Isidore : married, 1 daughter in Tel Aviv

10. MARCUS 8 years in South Africa married and lived in Velky-Meder 4-5 children, all died in c.c.

11. SCHAMSCHI Tyrnau
Olga Schlesinger 5daughters, all died in c.c.

12. LEAH 1888-1944 Tyrnau (- c.c.) Theresienstadt
Sigmund Unger 1883-1944 Frauenkirschen, Austria (- c.c) : 6 children

— Alfred Unger (1909 Zielenrig, Germany) and Esther Beigel (1922 Frankfurt) : 4 children: Judah (1945-1964), died military service ; Leah and Jossi Bamberger (4 children : 2 boys and 2 girls) ; Hafeta H. Yeshayahu and Sh. Freyhan live in Arad, 3 children ; Sara and Argamon Beigel live in Mevocheron, three children.
— Kurt Unger (1913 Frankfurt/Oder) died in c.c.
— Ruth Unger (1915 Frankfurt/Oder) and Kurt Singer (1907 Berlin) Los Angeles : 2 children (Joel and Bluete, one child ; Linda, single, lives in North Carolina).
— Manfred Unger (1921, Chemnitz), single, lives in New York.
— Margot Unger (1923, Chemnitz) and Hans Manasse (1918 Berlin) : 2 children (Diane and M. Mechnick, 2 children ; Jerry is single).
— Charlotte Unger (1924, Chemnitz) and Ernst Vulkan (1918 Vienna) Los Angeles : 2 children (both Dennis and Mike are single).

13. ELSA 1889 Tyrnau
Aaron Weiss (Rabbi) 1945 Strasbourg, formerly Vienna : 4 children

— Lily Weiss (1915, Haifa) and Naftali Friedman, 2 children : Deborah is married and lives in Israel; her children are married. Ginke is married, has one son and lives also in Israel.
— Michael Weiss, Israel, single.
— Pauli Weiss (1921) Arad, divorced, remarried, 1 son in U.S.A., 1 daughter in Israel.
— Herta Weiss (1923) and Zeev Yitshaki (1918), Tel Aviv, 2 children : Noah Elisheva ; Roni, married, no children.

14. NORBERT Tyrnau-1979 Strasbourg
Celine Bloch Zuerich - she died before him, no children.

Au Clos Salembier, avec ma cousine Gisèle (à droite)
dans la glycine

Rue Philippe à Oran
sur les genoux du père

Le paysage de mon enfance était double. D'un côté, il y avait l'Afrique du Nord, corps puissamment sensuel, que je partageais, pain, fruits, odeurs, épices, avec mon frère. De l'autre existait un paysage avec la neige de ma mère. Et pardessus les pays, l'Histoire, toujours présente, de guerres. Il me semblait que l'humanité avançait guerre à guerre. Pas à pas, guerre à guerre. Je suis née pour rentrer dans la guerre. Pendant la guerre ma maison résonnait des mots magiques utilisés par ma mère : « avant-la-guerre ».

Première plage avec mon père

En coquelicot au Petit Vichy à Oran

A Oran, j'avais un très fort sentiment de paradis, alors même que c'était la guerre et que ma famille était atteinte de partout : par les camps de concentration au Nord, par Vichy en Algérie. Mon père a été interdit d'exercer la médecine, nous avons perdu la nationalité française, je ne suis pas allée à l'école publique d'où nous étions exclus.

Mais malgré les difficultés de vivre, malgré les premières expériences d'antisémitisme, malgré les bombardements et les menaces, c'était le paradis. La famille était pleine de rêves et de création. Mon père et ma mère étaient des êtres naturellement poétiques et adroits de leurs mains. Ma mère et Omi parlaient et chantaient en allemand. Mon père aimait la musique, le dessin, les mots, les livres. La famille faisait des jeux de mots. Nous étions heureux.

J'avais un si violent sentiment de bonheur que j'ai passé ma petite enfance en craintes secrètes. Parce que sur terre il ne peut y avoir de paradis, j'ai pensé que j'allais payer. Le prix c'est que sûrement ma mère allait mourir. C'est mon père qui est mort. L'Enfer a commencé : ce n'était pas seulement que nous avions tout perdu ; mais aussi que j'ai dû procéder d'urgence à une mutation mutilante d'identité. En tant qu'aînée de la famille, j'ai été obligée dans bien des circonstances de devenir mon père, pour des raisons de survie, de l'honneur de ma mère ou de ma famille. (D'une part j'ai perdu le droit à l'enfance. De l'autre, j'avais un goût de l'enfance exacerbé).

Eve et Georges, jour de noces

Mon père au lycée Lamoricière

1935 : mon père pense à ma mère debout derrière sa mère

Interne à l'Hôpital Mustapha à Alger

J'associe mon père à quatre figures dont je sais qu'elles sont indéniables.

La figure dominante était celle du juste ou du saint. Curieusement, alors qu'il était juvénile et qu'il est mort très jeune, il avait une nature éthique tellement puissante qu'il était perçu comme exemplaire.

Mon père était laïque. Il n'était pas croyant, dans la famille qui a maintenu une tradition juive. Il y a d'innombrables scènes de mon père se comportant en homme hospitalier, en homme généreux, en homme fraternel. Il était salué par les Arabes qu'il soignait avec amour parce que mon père se situait au-delà de tout racisme. C'était un être humain qui prêchait d'exemple. Dans sa profession comme dans sa famille.

La deuxième figure, c'est ce qu'il était pour nous Hélène-et-Pierre : la loi. La loi morale, l'absolu. Il était d'une sévérité extrême. Nous avons commis de nombreux « crimes », mon frère et moi, des trangressions de toutes sortes, probablement en réponse à la puissance de la loi dans la famille. Parce que nous étions punis. Cela a engendré une vision du monde. C'était comme si mon père l'incroyant était l'incarnation des Tables de la Loi.

Cette loi s'accompagnait d'un trait marquant chez mon père : le rire. L'humour était une deuxième langue pour lui. Il jouait de tout, des membres de la famille, des situations, et surtout des signifiants. C'était l'enchanteur. L'univers était légèrement traduit. Il avait épousé une Allemande et il avait une maison où on parlait allemand parce que ma grand-mère Omi était arrivée chez nous et ne parlait presque pas le français. Mon père avait donc forgé, à la Joyce, tout un système de plaisanteries sur la langue allemande qui étaient passées dans l'idiome de la famille. Tous nous jonglions.

Peut-être que la virtuosité ou la versatilité verbale qu'il y a dans mon écriture, je la tiens de mon père : comme s'il m'avait fait cadeau de clés ou des linguistiques.

La troisième figure va avec la quatrième : c'était un médecin et c'était un malade. Il portait en lui sa profession sous la forme la plus noble (je continue à idéaliser la médecine-vue-par-mon-père). Le malade, je ne l'ai compris que tardivement car c'était une chose cachée qui a dû être inscrite insidieusement dans notre vie.

1948 : dans le jardin avec Omi, juste avant la mort de mon père

Mon père est mort de la tuberculose, il n'avait pas 39 ans.

Il y a une série de thèmes fatidiques. Mon père fait sa thèse de médecine sur la tuberculose. Au moment de se fiancer avec ma mère, il a un pneumothorax spontané. Il écrit disant que s'il est tuberculeux il ne se mariera pas. C'était son sens de la responsabilité. Son patron de médecine dit que ce n'est qu'une grippe. Il se marie. Tout est fatidique : l'apparition de la maladie, le déni de la maladie, le fait que nous aurions pu ne pas exister. Je suis née en 37, mon frère en 38, mon père a été engagé dans la guerre en 39, en tant que médecin-lieutenant en Tunisie. On le réforme pour TB.

A partir de là, il mène la vie d'un tuberculeux clandestin. Il y a une sorte de mort voilée dans la maison dont nous ne recevons les effets que parce que mon père se réserve, physiquement, dans ses rapports à nous. Il évite de nous tenir dans ses bras. Cela produit des effets de distance ininterprétables pour nous.

Il apparaissait comme un être beau. Il était beau. D'une beauté d'autant plus frappante sans doute que c'était une beauté très intérieure et menacée par la mort.

Mon père en 1939

Deux fois mon père m'est apparu comme un inconnu. Deux fois je ne l'ai pas reconnu. La première fois c'est en 39 lorsqu'il a été mobilisé — le mot « mobilisation » rentre dans ma vie. Quelqu'un a sonné, on a ouvert la porte et je vois entrer un être étranger, étrange. Et chamarré. Je marque un temps. Je me rappelle parfaitement le plan fixe. Et puis mon père se fait reconnaître. Mon père en uniforme, avec un képi bleu. J'apprends le mot « képi ». J'éprouve le sentiment d'un enlèvement, d'une transformation. Rien de tragique. Quelque chose de fantastique.

La deuxième fois, c'est tout autre chose. C'est terrible. C'était juste avant sa mort. Brutalement un retrait puis l'hôpital. Les derniers temps de sa vie sont violemment brefs. (Scandés sans que je le sache par 1, 2 — et la dernière hémoptysie).

Dernières images : il est dans une mince pièce, dans sa propre clinique de radiologie, étendu sur un petit divan. On m'a permis d'aller le voir. Il ne parle pas. (Il n'a plus parlé — cf. Kafka). Je ne veux pas mettre un nom sur mon angoisse. Il s'adresse à moi par signes. Je lui réponds d'abondance, de surabondance. Je sens que je joue « le plus grand naturel ». Je me joue à moi-même la comédie. J'ai vu mon père entrer dans le silence de son vivant. Tout retenu : sourire, retenu, souffle, retenu, vie, retenue. Sans doute essayait-il de retenir le dernier souffle.

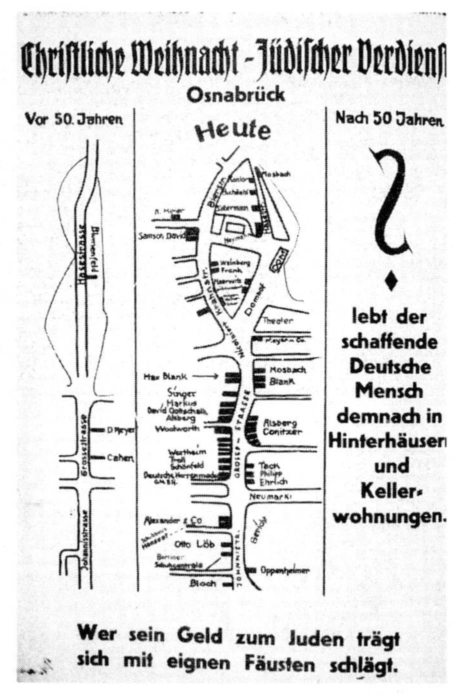

"Noël Chrétien - profit Juif"
La propagande antisémite à Osnabrück

J'étais l'enfant de deux villes. Oran ma ville natale que j'ai adorée. Osnabrück ville d'enfance de ma mère, ville natale d'Omi. Je me figure Osnabrück. Et j'ai un trouble de mémoire : je ne sais pas si je suis allée à Osnabrück ou si je n'y suis pas allée.

Lorsque j'ai eu 15 ans, je suis allée en Allemagne pour la première fois de ma vie, avec Omi. C'était la première fois qu'Omi retournait en Allemagne. C'était un geste fou, solennel, léger, divisé entre l'amour et le ressentiment.

J'ai le sentiment d'avoir été à Osnabrück avec Omi. Il me semble voir les rues. Mais je ne sais pas si je ne l'ai pas rêvé. Tout me semble. Et personne pour me dire si nous y sommes allées, puisqu'Omi est morte. Osnabrück — si j'y suis allée — reste rêvé. Je ne peux pas savoir.

LES ENFANTS

Esther et Assuérus (pourim)

Hélène et Pierre

Les enfances ; les enfants. Enfance, terme majeur — plutôt en-fance qu'en France, et plutôt en-fiance : vertu, poésie, alliance, avance.

En fance je n'étais pas sans mon autre. Mon autre, mon frère. Nous avons une petite différence d'âge. Nous étions un couple : Hélène-et-Pierre. Partageant tout. Complices face aux adultes ; alliés contre la violence environnante.

J'ai tout le temps vécu ma vie avec la vie d'un petit garçon. Je vivais avec les possibilités : j'avais une possibilité féminine (c'était moi) et la possibilité masculine avec tous ses épisodes. Nous étions unis et désunis. On s'est battus. Ensemble. Dans l'intimité, nous nous disions tout (je crois). J'ai traversé les étapes du développement d'un petit garçon. C'est une chance.

Le frère est très puissant en moi. Il apparaît peu dans mes textes, mais il est certainement constitutif de mes univers masculins.

Nous faisions de l'enfance. Nous avons été explorateurs. Nous partions en expéditions. Nous avons inventé le théâtre et le cinéma.

à Paradis Plage

Anne et Pierre-François à Arcachon

Ce couple a resurgi avec mes propres enfants. Coup de chance génétique. Le couple sœur-frère revient. La fille aînée ; plus tard l'aînesse se déplace.

Pierre, Hélène, Pierre-François, Anne
1968 Alger-Plage

Lorsque nous sommes ensemble, nous sommes quatre enfants. Nous sommes un seul ensemble. Composé de quatre possibilités. Qui s'associent et se dissocient — aussi par attraction, répulsion, identification, sexuelles.

Les enfants : avec le temps ils nous rattrapent. Par chance je les admire. Moitié enfants moitié amis. Moitié-disciples moitié-maîtres. « Anne-Emmanuelle, Pierre-François ». Tous les deux enseignent et m'enseignent.

Ce que je raconte ici (oublis et omissions compris), c'est ce qui pour moi n'est pas dissociable de l'écriture. Il y a une continuité entre mes enfances, mes enfants, et le monde de l'écriture — ou du récit.

Ensuite j'arrive en France, en 1955. C'est la première fois. Ma première ville Européenne a été Londres où ma mère m'envoya (1950) seule apprendre l'anglais.

En 1955, en khâgne au Lycée Lakanal — c'est là que j'ai senti les affres du véritable exil. Pas avant. Ni avec les Allemagnes, ni avec les Angleterres, ni avec les Afriques, je n'ai éprouvé un sentiment si absolu d'exclusion, d'interdiction, de déportation. J'ai été déportée à l'intérieur même de la classe.

En Algérie je n'ai jamais pensé que j'étais chez moi, ni que l'Algérie était mon pays, ni que j'étais française. Cela faisait partie de l'exercice de ma vie : je devais jouer avec la question de la nationalité française qui était aberrante, extravagante. J'avais la nationalité française quand je suis née. Mais jamais personne ne s'est pris pour français dans ma famille. Peut-être, du côté de mon père, s'est-on défendu de ne pas être français. Nous avons été déchus de la nationalité française pendant la guerre : je ne sais pas comment on nous l'a rendue.

Image : j'ai 3 ans. J'ai suivi dans la rue d'Oran le défilé des jeunesses pétainistes. Eblouie, je rentre en chantant « Maréchal nous voilà ». Mon père prend mon frère (2 ans) et moi solennellement devant ses genoux. Il déchire solennellement la photo du Maréchal Pétain que j'ai rapportée, et il nous explique.

Cette logique de nationalité s'accompagnait de comportements qui m'ont toujours été insupportables. La nation française était coloniale. Comment aurais-je pu être d'une France qui colonisait le pays algérien alors que je savais que nous-mêmes juifs allemands tchécoslovaques hongrois étions d'autres arabes. Je n'avais rien à faire dans ce pays. Mais je ne savais pas non plus où j'avais à faire. C'est la langue française qui m'a conduite à Paris.

En France, ce qui est tombé de moi d'abord, c'est l'obligation de l'identité juive. D'une part, l'antisémitisme était incomparablement plus faible à Paris qu'à Alger. D'autre part, j'ai brusquement appris que ma vérité inacceptable dans ce monde était mon être femme. Tout de suite, ce fut la guerre. J'ai senti l'explosion, l'odeur, de la misogynie. Jusqu'ici, vivant dans un monde de femmes, je ne l'avais pas sentie, j'étais juive, j'étais juif.

A partir de 1955, j'ai adopté une nationalité imaginaire qui est la nationalité littéraire.

Photo par mon ami D.L. Mohror

GÉNÉRIQUE

(établi par Mireille Calle-Gruber)

12 fév 1948 : Mort du père à l'âge de 39 ans.

de 1947 à 1953 : Etudes secondaires au Lycée Fromentin à Alger. Les registres témoignent traces d'un numerus clausus à l'égard des Juifs. Malgré une communauté importante, il y a peu d'élèves juifs au Lycée. Dans sa classe, Hélène est la seule Juive pendant des années.

1950 : Sa mère Eve commence des études de sage-femme. Années d'apprentissage : le frère fait réciter Hélène, Hélène fait réciter la mère.

1952 : Ayant obtenu son diplôme, Eve pratique d'abord dans les bidonvilles : elle est la sage-femme des Arabes. A 14 ans, Hélène accompagne sa mère à l'hôpital où elle assiste à des accouchements.

1954 : Hélène manifeste le désir de vivre avec les livres : elle entre en hypokhâgne au Lycée Bugeaud à Alger (lycée de garçons).

1955 : Mariage avec Guy Berger et départ pour Paris où elle entre en khâgne de garçons à Lakanal.

1956 : Guy Berger, qui a obtenu le Capes de philo, est nommé à Bordeaux. Hélène prépare là l'agrégation d'anglais.

1958 : Naissance d'Anne-Emmanuelle. Hélène obtient le Capes d'anglais.

1959 : Après l'agrégation d'anglais, elle choisit de prendre un poste au lycée d'Arcachon pendant l'absence de son mari appelé pour le service militaire. C'est la guerre d'Algérie : la durée du service est portée à 2 ans.

1960 : Hélène rencontre Jean-Jacques Mayoux avec qui elle commence une thèse sur Joyce. Naissance de Stéphane.

1961 : Mort de Stéphane. Naissance de Pierre-François.

de 1956 à 1962 : La mère et le frère, qui est étudiant en médecine, demeurent à Alger pendant la guerre.

1961 : Le frère, qui est pour l'Indépendance, est condamné à mort par l'OAS. Il rejoint Hélène à Bordeaux pour terminer ses études et compte, ensuite, rentrer et prendre la nationalité algérienne.

1962 : Indépendance de l'Algérie. Eve est arrêtée par les Algériens. Le frère rentre précipitamment, est arrêté à son tour. C'est grâce à l'avocate de Ben Bella qu'Hélène obtient leur libération. Son frère s'installe à Bordeaux où il exerce la pédiatrie. Sa mère demeure en Algérie d'où elle finira par être expulsée, avec les derniers médecins et sages-femmes français. Elle perd tout. A Paris, où elle ne bénéficie pas du statut de rapatriée, elle s'installe, avec Omi, près d'Hélène, en 1971.

1962 - 65 : Assistante à l'Université de Bordeaux.

Fin 1962 : Rencontre Jacques Derrida à Paris. Ils parlent de Joyce.

1963 : Premier séjour aux Etats-Unis où Hélène fait des recherches sur les manuscrits de Joyce. Elle travaille à Buffalo, Yale, et prépare une Thèse secondaire sur Robinson Jeffers en Californie.
Jean-Jacques Mayoux la présente à Jacques Lacan qui cherche une initiation à l'œuvre de Joyce. Pendant 2 ans environ, travaillera régulièrement avec Lacan.

Fin 1964 : Divorce.

1965 : Maître-Assistante à la Sorbonne. C'est une époque d'amitié avec des poètes et des écrivains, en particulier Piotr Rawicz et Julio Cortazar. Hélène a des liens étroits avec le milieu latino-américain.

1967 : Raymond Las Vergnas, vice-doyen de la Sorbonne et directeur de l'Institut d'anglais obtient pour elle une chaire de littérature anglaise à Nanterre.

1967 - 68 : Hélène, dont la situation à Nanterre est ambiguë, puisqu'elle occupe, sans être Docteur, une chaire de rang magistral, voit se préparer l'explosion de 68. Témoin d'excès et de dysfonctionnements, elle prend très vite conscience de l'existence d'un « ancien régime » à abolir.

mai 1968 : Elle participe de très près à tous les événements de Nanterre et de la Sorbonne.
Sur proposition du doyen Las Vergnas, elle est nommée Chargée de mission par Edgar Faure afin de créer une université expérimentale au Bois de Vincennes. L'aventure de Paris

VIII commence : Hélène, aidée d'un Conseil consultatif, va y associer des personnes qui partagent une vision moderne des Lettres et des Sciences Humaines. Conscients de la fragilité du mouvement étudiant et de l'urgence, il leur importe d'arracher à la turbulence et aux événements un progrès culturel durable. Sous l'impulsion d'Hélène, l'élaboration de l'université se fait en étroite liaison avec le monde de l'écriture. Des chaires sont attribuées à des écrivains latino-américains, ainsi qu'à des novateurs comme Michel Butor, Michel Deguy, Lucette Finas, Gérard Genette, Jean-Pierre Richard, Tzvetan Todorov. Michel Foucault, Gilles Deleuze et Michel Serres sont en philosophie ; le premier département de psychanalyse en France est mis en place par Serge Leclaire.

1968 : Création de la revue *Poétique* avec Genette et Todorov. Hélène soutient ses deux thèses (principale et complémentaire) avec félicitations du jury. Elle est la plus jeune « Docteur » de France.

1969 : Chaire de Littérature anglaise à Paris VIII où elle enseigne depuis lors. Prix Médicis pour *Dedans*.

1971 : Participe activement au GIP (Groupe Information Prison) avec Foucault.
Jusqu'à l'expulsion de sa mère en 1971, Hélène retourne régulièrement en Algérie avec ses enfants. Après quoi, plus jamais.

1972 : Découverte du travail théâtral d'Ariane Mnouchkine : Hélène propose à Foucault d'associer le Théâtre du Soleil au GIP. Ils font ensemble des spectacles éclairs devant les prisons, régulièrement dispersés par la police. C'est ainsi qu'Hélène est assommée à coups de matraque à Nancy.

1974 : Création d'un Doctorat de 3ème cycle en Etudes Féminines à Paris VIII (le premier en Europe). Pourquoi « études féminines » ? D'une part, Hélène a une attitude réservée quant à la connotation du mot « féministe » en France. D'autre part, il faut faire référence, vis-à-vis du Ministère, aux questions concernant les femmes. S'il n'avait tenu qu'à elle, le doctorat aurait été inscrit au titre des différences sexuelles.

depuis 1974 Grâce à l'accord amical de ses collègues de littérature anglaise, elle consacre la majeure partie de son enseignement au développement interdisciplinaire des Etudes Féminines.

Dirige le doctorat de littérature anglaise ainsi que de nombreuses thèses en Etudes Féminines.

1975 : Ecrit sa première œuvre de théâtre : *Portrait de Dora*, qui connaît un grand succès ; elle est jouée 1 an au Théâtre d'Orsay, dans une mise en scène de Simone Benmussa.
Antoinette Fouque, fondatrice du MLF en 68 et des Editions des Femmes en 73, lui propose de publier un livre : ce sera *Souffles*. Elle découvre la pensée politico-analytique d'Antoinette Fouque. C'est seulement à cette époque qu'elle aborde la scène complexe du Mouvement des Femmes et s'engage dans diverses actions menées par Antoinette. Dès lors, par choix politique, Hélène publie aux éditions des Femmes.

1977 : Adhère à l'AIDA, Association Internationale de Défense des Artistes fondée par Ariane Mnouchkine et participe à plusieurs campagnes, notamment en faveur de Vaclav Havel et de Wei Jing Sheng.
Par la publication aux Editions des femmes de *La Passion selon GH*, elle découvre Clarice Lispector. Clarice meurt en décembre.
Mort de Omi à l'âge de 95 ans.

1978 : L'opéra *Le nom d'Œdipe* est joué au festival d'Avignon dans la Cour d'Honneur. Livret d'Hélène, musique d'André Boucourechliev, mise en scène de Claude Régy.

1980 : Le gouvernement Barre supprime le doctorat en Etudes Féminines. Tollé général dans le monde de la culture : une campagne internationale s'engage. Répond à la suppression par la création du Centre de Recherches en Etudes Féminines.

1981 - 82 : Le doctorat en Etudes Féminines est rétabli par le gouvernement socialiste.
Avec ses amis Derrida, Foucault, Cortazar, Hélène fait partie de la première Commission Nationale des Lettres du gouvernement socialiste. Démissionnent en 1982.

1982 - 83 : Ariane Mnouchkine lui demande d'écrire pour le Théâtre du Soleil. Ce sera : *L'Histoire terrible mais inachevée de Norodom Sihanouk, roi du Cambodge.*

déc. 1984 : Se rend avec Ariane Mnouchkine dans les camps de réfugiés résistants khmers, à la frontière du Cambodge.

1985 - 86 :	Plusieurs voyages en Inde. Fait des recherches pour *l'Indiade*.
1987 - 88 :	*L'Indiade*. Enorme succès public.
1987 :	Mort de Jean-Jacques Mayoux.
1989 :	Scénario et dialogues de *la Nuit Miraculeuse*, film d'Ariane Mnouchkine commandé par l'Assemblée Nationale pour le Bicentenaire de la Déclaration des Droits de l'Homme. Reçoit la Croix du Sud du Brésil pour sa contribution au rayonnement de la littérature brésilienne.
1990 :	Wellek Lectures à Irvine University, Californie.
1991 :	Reçoit le Doctorat honoris causa de Queen's University, Ontario, Canada, lors des Fêtes du 150ème anniversaire de l'Université.
1992 :	Doctorat honoris causa de l'Université d'Edmonton, Alberta, Canada. Oxford : Amnesty International Lectures.
1993 :	Doctorat honoris causa de York University, Angleterre. Keynote Speaker à la Tate Gallery pour l'Assemblée plénière des Conservateurs de Musées anglais.
de 1984 jusqu'à présent	Un contrat exceptionnel lie le Centre de Recherches en Etudes Féminines de Paris VIII et le Collège de Philosophie. Hélène tient ses séminaires de doctorat au Collège. Rayonnement international du Centre d'Etudes Féminines qui crée des antennes dans plusieurs pays d'Europe ainsi qu'en Amérique et en Asie. Participe chaque année à de nombreux colloques soit sur son œuvre littéraire soit sur son travail en Etudes Féminines.

TABLE DES MATIÈRES

DU MÊME AUTEUR

HÉLÈNE CIXOUS

Grasset

PRÉNOM DE DIEU, nouvelles, 1967
LE TROISIÈME CORPS, roman, 1970
LES COMMENCEMENTS, roman, 1970
NEUTRE, ROMAN, 1972
L'EXIL DE JOYCE OU L'ART DU REMPLACEMENT
thèse de Doctorat d'État, 1968

L'Herne

UN VRAI JARDIN, nouvelle poétique, 1971

Le Seuil

TOMBE, roman, 1973
PRÉNOMS DE PERSONNE, collection « Poétique », 1974
RÉVOLUTIONS POUR PLUS D'UN FAUST, roman, 1975

Denoël

PORTRAIT DU SOLEIL, roman, 1974

Christian Bourgois

LA JEUNE NÉE, essai (avec Catherine Clément), 1975
UN K. INCOMPRÉHENSIBLE : PIERRE GOLDMAN, essai, 1975

Gallimard

LA, fiction, 1976
LE LIVRE DE PROMETHEA, fiction, 1983

Cahiers Renaud-Barrault

LA PUPILLE, théâtre, 1978

Théâtre du Soleil

L'HISTOIRE TERRIBLE MAIS INACHEVÉE
DE NORODOM SIHANOUK, ROI DU CAMBODGE, 1985
L'INDIADE, OU L'INDE DE LEURS RÊVES, 1987

Trois (Québec)

LA BATAILLE D'ARCACHON, 1986

des femmes

SOUFFLES, fiction, 1975

PORTRAIT DE DORA, théâtre, 1976

ANGST, FICTION, 1977

PRÉPARATIFS DE NOCES, fiction, 1978
en cassette, lu par l'auteur, 1981

LE NOM D'ŒDIPE, théâtre, 1978

PARTIE, fiction, 1979

ANANKÉ, fiction, 1979

VIVRE L'ORANGE, fiction, 1979

LA, FICTION (réédition), 1979

ILLA, fiction, 1980

WITH OU L'ART DE L'INNOCENCE, fiction, 1981

LIMONADE TOUT ÉTAIT SI INFINI, fiction, 1982

DEDANS, FICTION (RÉÉDITION), Prix Médicis 1969, 1986

LA PRISE DE L'ÉCOLE DE MADHUBAI, théâtre, 1986

ENTRE L'ÉCRITURE, essai, 1986

MANNE, fiction, 1988

L'HEURE DE CLARICE LISPECTOR
précédé de
VIVRE L'ORANGE, essai, 1989

JOURS DE L'AN, fiction, 1990

L'ANGE AU SECRET, fiction, 1991

DÉLUGE, FICTION, 1992

ON NE PART PAS, ON NE REVIENT PAS, théâtre, 1992
en cassette, lu par NICOLE GARCIA, DANIEL MESGUICH,
CHRISTELE WURMSER, BERNARD YERLES, 1992

BEETHOVEN À JAMAIS, fiction, 1993

L'HISTOIRE (QU'ON NE CONNAITRA JAMAIS), théâtre, 1994

MIREILLE CALLE-GRUBER

Ouvrages de critique et théorie littéraires

ITINERARI DI SCRITTURA, Rome, Bulzoni Editore, 1982

L'EFFET-FICTION DE L'ILLUSION ROMANESQUE, Paris, Nizet, 1989

LES MÉTAMORPHOSES-BUTOR (entretiens), Presses Universitaires de Grenoble, Le Griffon d'argile, Québec, 1991

RYTHMES. LE MAINTIEN DE L'ART (en préparation)

Ouvrages de fiction

ARABESQUE, Arles, Actes Sud, 1985

MIDIS, Paris-Calaceite, Noesis, 1992

LA DIVISION DE L'INTÉRIEUR, Montréal, Les éditions l'Hexagone, 1994

Publication d'ouvrages collectifs

IL MESTIERE DI SCRIVERE (avec L. Cenerini) Foggia, Bastogi, 1983

LECTURES DE VICTOR HUGO colloque de Heidelberg (avec A. Rothe) Paris, Nizet, 1986

AUTOBIOGRAPHIE ET BIOGRAPHIE colloque de Heidelberg (avec A.Rothe) Paris, Nizet, 1989

NARRER. L'ART ET LA MANIÈRE Revue des Sciences humaines de Lille, 1991

LA CRÉATION SELON MICHEL BUTOR. Paris, Nizet, 1991

DU FÉMININ, Presses Universitaires de Grenoble, Le Griffond'argile, Québec, 1992

CLAUDE SIMON. CHEMINS DE LA MÉMOIRE, Presses Universitaires de Grenoble, Le Griffon d'argile, Québec, 1993

ECRIT/ECRAN (avec J.J. Hamm), Cinémas, Montréal, 1993

Collaboration à des ouvrages collectifs

« L'amour fou, femme fatale. Duras : une réécriture sublime », in NOUVEAU ROMAN ET ARCHÉTYPES, Paris, Minard, 1992

« Légendes du féminin » in A. Campagnon et J. Seebacher, L'ESPRIT DE L'EUROPE, Paris, Flammarion, 1993

« Une esthétique de la corde raide ? » in : FICTIONS EN ESTHÉTIQUE, Presses Universitaires de Vincennes, 1993

Achevé d'imprimer le 25 mai 1994
dans les ateliers de Normandie Roto Impression s.a.
61250 Lonrai
N° d'imprimeur : I4-1108
Dépôt légal : juin 1994